剣道範士八段

永峰晃とその時代

松本　茂

永峰晃先生愛用の防具

剣道範士八段 永峰晃先生

剣道形を指導する永峰先生

興誠剣道部と永峰先生（昭和四十三年）

出版を祝して「剣道と永峰先生との出会いに感謝」

浜松剣道連盟会長　柳川樹一郎

この度、剣道部の一学年後輩である松本君が、我々の恩師である永峰晃剣道範士八段の足跡を辿った著書を上梓されました。これを祝す意味を込めて永峰先生の思い出を記したいと思います。

私と剣道との出会いは、高校に入学した時でした。もともと父、庄八郎の兄と従兄の柳川孫平先生との関係で興味は持っておりましたが、永峰先生との突然の出会いが私の人生を大きく変えていくものになりました。

高校生活は、剣道に明け暮れる毎日でした。永峰先生との稽古は、息を継ぐ事もできないほど鋭く、厳しいものでしたが、歯を食いしばって稽古に励みました。浜松工業高校の飯尾巴先生からも「柳川君、がんばれよ」といつも励ましをいただきました。

永峰先生には、大学の選定までご指導いただき、「学剣修床」としたためた色紙までいただきました。大学生活においては、一心寺の前田先生、中京大学の恵土先生、などのご指導の下、充実した学生生活を送ることができました。

一期一会の人との出会いや教え、そして剣道で培った全てが社会人となってからの自分を支えてくれるものになっています。

浜松剣道連盟をお手伝いするようになり、道場の建設や、NPO法人（特定非営利活動法人）の創設などに関わらせていただきました。現在は、内田会長の後を引き継いで連盟の会長を務めさせていただいております。

伝統を築き上げて行われている県西部地区大会並びに永峰杯争奪少年剣道大会は、まさに永峰先生の偉業の象徴となっているものです。浜松剣道連盟の道場の玄関には先生直筆の「不動心」が刻まれた記念碑が建てられています。

浜松剣道連盟は、県下において最大の会員を有し、県下一の組織となっています。この礎を築き上げた方が永峰先生です。世代は交代すれども永峰先生の教えは永遠に語り継がれていくものと固く信じてやみません。

はじめに

県西部地区剣道の中心的存在であった永峰晃範士八段が亡くなって四十年がたつ。先生のことを書き記しておきたいとずいぶん以前から思ってはいたのだが、果たして自分にできるのだろうかというためらいもあって踏み出せないままでいた。

そうした中、武道専門学校入学から昭和十二年に明治神宮大会で優勝したときまでのことを、先生自身がお書きになったものが掲載された『浜剣連だより剣友』（昭和五十二年から昭和五十四年頃まで出ていた浜松剣道連盟の広報誌）を昨年手にする機会を得た。

『浜剣連だより剣友』は、先生のことを書こうとするならば、必要不可欠の資料なのだが浜松剣道連盟にも残されておらず、これを見ることができなかったことも踏み出せなかった理由の一つだった。

この広報誌を手にし、これで書くことができるかもしれないと思い始めていた頃、先生の娘さんである宮城質子《もとこ》さんがご健在であるということを知った。先生は明治二十六年生まれである。そのお孫さんであっても七十歳前後にはなるはずで、大変失礼な話だが、娘さんがご健在であるとは思ってもいなかったのだ。

すぐに連絡を取り、お会いしていろいろなお話をうかがうことができたのだが、宮城さんとの出会いや広報誌のことがなければいまだに踏み出せないままだったに違いない。

そしてもう一つのきっかけがあった。

昨年の九月、浜松アリーナを会場に「第六十三回静岡県西部地区剣道大会兼第三十九回永峰杯争奪剣道大会」が開催された。昭和三十年に始まった「西部地区大会」は、現在永峰先生の功績を称える大会を兼ねるようになっているが、今では「西部地区大会」というよりも「永峰杯」と呼ばれることの方が多い大会だろう。

この大会は小学生から一般まで、例年、千五百名を超える選手が参加して盛大に行われる。大会関係者に聞くところによると、地方都市においてこれだけの人数が、それも様々な世代の剣士たちが出場する剣道大会というのは全国的に見ても珍しいという。

そんな盛大な大会を見ながら脳裏に浮かんだのは、ここにいる選手たちの中に、永峰先生に稽古をつけてもらったという人間はもう誰もいないのだな、ということだった。

僕は今年六十九歳になる。興誠高校在学中、浜松剣道連盟会長の柳川さん（一学年上の先輩）などと共に、週三日先生に稽古をつけてもらっていたが、柳川さんや僕などは先生に実際に稽古をつけてもらったほぼ最後の世代になる。その人間が七十歳に手が届こうというのだから、会場にいる人の大半が稽古をつけてもらったことがないのは当然だ。

会場内にいた人の中で先生に稽古をつけてもらった経験があるのは、僕のような者を除けば、ひな壇にいる大会役員や顧問の先生方くらいだったろう。永峰先生がどういう人であったのかを知る者も同様だろう。

去る者は日々に疎しであり、それも世の常で仕方のないことだろうなと大会を見ながら思っていたのだが、そのうちに、やはり今書いておかなければという思いがしだいに込み上げてきたのだった。これが僕の背中を最後にひと押ししたように思う。

それからしばらくして執筆にとりかかったわけだが、もとより、自分に評伝のような形で先生のことを書く力はない。ならば、できる限り先生に関する情報を集め、それを整理しておくことによってそこから先生の姿を少しでも浮かび上がらせることができないか、と取り組んだものが本書である。

とはいえ、集まった情報には、日記や手紙といった一次的な資料にあたるようなものはほとんどなく、そのほとんどが断片的なものであることは否めなかった。さらに、その断片的な情報の質も様々で、先生に関する情報なのかもしれないというレベルのものまで含んでいた。

そこで執筆にあたっては、どのような情報に基づいて、それを事実として、あるいは筆者の推測、想像として記述したのかをはっきりと示すことに心がけた。

また、誰でもそうだと思うが、自分がよく分かっていることや知っていることなどは無意識のうちに省略しがちである。しかし、書き手にとって自明なことであっても、読み手には何のことかさっぱり分からないということもままあるものである。

これを防ぐためにもできるだけ多くの註をつけることを意識した。こうした註を煩わしいと感ずる方もあろうかと思うが、以上の理由からなのでご勘弁いただきたい。

以上のようなことを心に留めながら書き進めていったわけだが、その中で気づいたことがある。それは、ひとりの人間の人生を辿るためにはその人が生きた時代というものを知る必要があるということだった。どういう時代に生きていたのかを抜きにしてはその人の姿をとらえられないのだ。

例をあげよう。先生は、昭和十二年（一九三七）に行われた明治神宮大会に静岡県代表として出場し優勝を遂げている。それを伝える記事が翌日の新聞に掲載されたが、それは目を凝らして紙面を眺めなければ見落としそうなくらい扱いの小さなものだった。その日の紙面のほとんどを埋めていたのは、中国大陸で始まっていた日本と中国との戦争関連の大きな見出しと記事である。

先生が優勝したのはそういう時代における明治神宮大会だったのだ。

こうしたことを知るたびに、時代ということについて自ずと考えざるを得なかったし、そうしなければ見えてこないことばかりであったといってもいいかもしれない。書名を「剣道範士八段永峰晃とその時代」とした所以である。

「稽古」という言葉の本来の意味は「古（いにしえ）」を「稽（かんがえる）」ことだという。あるいは「温故知新」（故きを温ねて新しきを知る）という言葉もある。浜松剣道界の「故き」すなわち源流は永峰先生だ。

ピントの甘い写真を並べただけのような拙著ではあるが、永峰先生や先生の生きた時代というものに、若い人が興味を抱くきっかけとなれば幸いである。

執筆にあたって多くの方々からお話をお聞きするとともに資料の提供をうけたが、そのほとんどの方は自分にとって剣道における先生、先輩方である。何々先生とお呼びしなければならないところだが、本書では普段お付き合いをいただいているときの呼称で書かせていただいた（故人については敬称を略した）。

目次

第九章　補遺

第一章　北海道その一（明治二十四年～大正二年）

一　北海道上川郡永山村一八二番地

永峰先生は、明治二十六年（一八九三）五月四日、屯田兵であった利三郎[註㈠]とその妻クニの長男として北海道上川郡永山村一八二番地に生まれた[註㈡]。

先生が生まれた家は、間口が五間、奥行き三間半、建坪が十七坪五合（五十七平方㍍）程の木造平屋の一戸建て住宅だ。

入り口は板張りの引き戸である。開けて中に入るとそこは土間になっている。なかなか広く、床面積の半分近くを占めているだろう。土間がこのように広いのはここが作業場兼納屋だからだ。土間の左手側、小上がりの板の間は六畳で、切り込んだ囲炉裏がある。ちょうどその上あたりの屋根には煙出しが設けられている。天井はない。板の間は家族が集まって食事し団欒する場所だ。その奥には障子戸で仕切られた六畳と四畳半の畳敷きの部屋がある。

狭い家だ。今の人からすれば、住居というよりも少し大きめの小屋のように見えるかもしれない。それだけではない。壁は四分板の一重壁で、窓は無双窓[註㈢]だから隙間風が少なからず吹き込む。道内でも最極寒の地といわれる旭川[註㈣]に建てられた家とはとうてい思えないものだ。

と、書き連ねてきたが、百年以上も前のことなのにどうして見てきたかのように書けるのか、いい加減なことは書くなと叱られそうだ。しかし実際にこの家が現存するのである。いや、現存しているというのは言い過ぎた。正確にいえば、先生の家が、ではなく先生の生家と全く同じ構造の家が旭川には残っているのである。[註(五)]なぜ同じかといえばその家が屯田兵屋だからだ。はじめに書いたように、先生の父利三郎は屯田兵だった。明治二十四年、四国から北海道に渡った人である。

屯田兵だったということですぐに見当がついたと思うが、要するに屯田兵屋は国が用意し、屯田兵に与えたものだから、すべて「陸軍省標準型」で作られた規格品であり、どの兵屋も作りは全く同じものなのだ。

その屯田兵屋が現在「旭川市博物館」に移築展示されている。しかもそれは、先生が生まれ育った永山村から移築したものだから、先生が武専に入るために京都に行くまで過ごした家と全く同じ作りなのだ（冒頭の生家の描写はこ

①屯田兵屋（旭川市図書館所蔵）

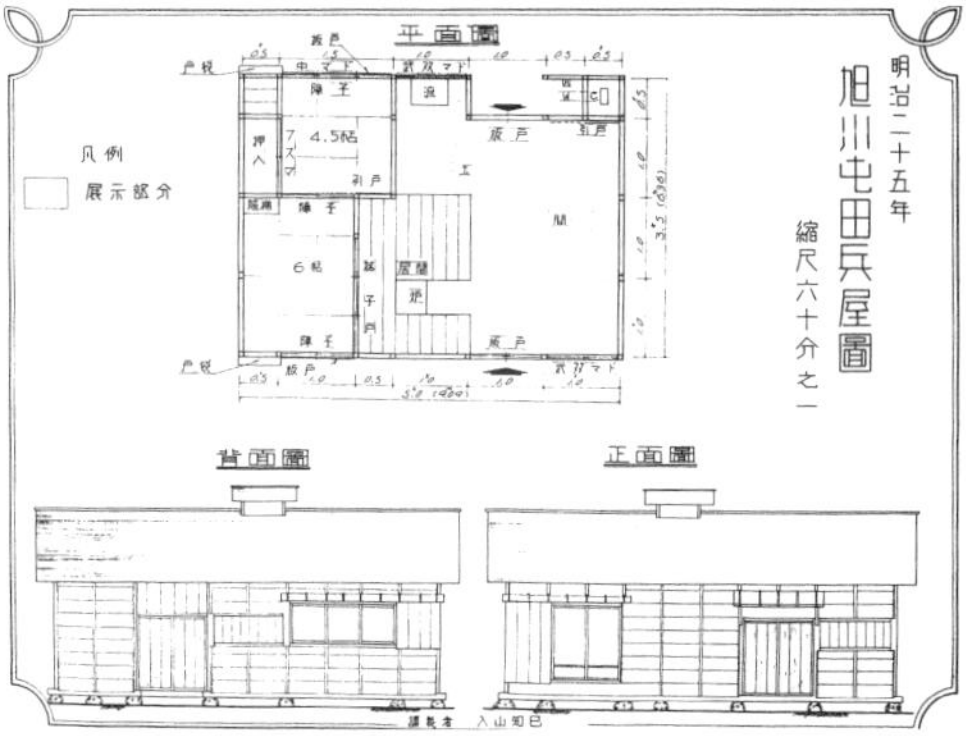

②兵屋平面図（旭川兵村記念館所蔵）

れを見学したときの記憶をもとに書いている）。

この屯田兵屋について、司馬遼太郎は「小屋とも言いにくいほどに小さい。その貧寒とした粗末さ」と、旭川で兵屋を見学したときの感想を『街道をゆく』に記している。[註㈥]

僕もまた同様の感想を「旭川市博物館」で屯田兵屋を見たときに抱いたが、ただそれはよそ者の勝手な思い込みに過ぎないのだろう。子供にとって生まれ育った場所が世界のすべてなのだ。狭いとか粗末だというような思いを抱くはずがない。

先生があるとき「大雪山の夜明けの美しさというのはね、実に見事で今も目に焼き付いているよ。あれほどの美しい自然は見たことがない」と語ってくれたことがある。

また、そのときであったか別の折だったか「季節になるとサケがとにかくたくさん石狩川を遡上してくるんだ。だから、父親なんかは晩飯のおかずにするといってわずかな時間にたくさんのサケを獲ってきたよ」というような話をなつかしそうに語ってくれた。[註㈦]

これが先生にとって原風景なのだ。あらためていうまでもないことだが、どこで生まれ育ったのか、ということがその人の人間形成に大きくかかわっている。

先生はこの兵屋で家族とともに少年時代を過ごした。

【註】

㈠ 利三郎は明治五年香川県生まれ。先生が生まれたときには二十二歳（以下年齢については数え年）。クニは明治八年岡山県生まれで十九歳。利三郎の屯田兵仲間である小川栄太郎の妹である。

㈡　静岡県剣道連盟のホームページは、先生の生まれを水山としているがこれは誤記で永山が正しい。

永山村一八二番地が現在のどのあたりになるか旭川市図書館にお願いをして調べてもらったところ、旭川市永山北一条付近ではないかとの回答を得た。

そこで昨年の夏、旭川を訪れた際に現地に足を運んでみたが、北一条は道道七六一号線沿いの、旭川市の中心部から車で十五分ほどのところだった。七六一号線は、旭川を始発駅とする宗谷本線の北側を線路に沿うような形の、いかにも北海道らしい広く真っ直ぐな片側二車線の道路である。同じように広く真っ直ぐな国道三十九号線が宗谷本線の南側に通っている。

先生の家があったと思われる北一条付近だが、一般の住宅や高い建物はほとんどなく、道路の両側に、いずれも広々とした敷地の運送会社や物流センター、部品メーカーなどが立ち並んでいた。その一角にあるトヨタ部品北海道共販旭川支所の辺りが図書館の教えてくれた場所で、数百㍍北側には石狩川が流れていた。

もちろんその場所に先生が生まれた頃を偲ばせるものは何もないのだが、すぐ近くを走る宗谷本線の線路の傍らに立つと、周りの広々とした空間と真っ直ぐに続く線路が醸し出すのであろうか、百数十年前の風景が感じられるような気がした。

㈢　無双窓とは「閉めると一枚の板張りのようになり、開けると一つ置きに隙間が出来るようになっている」（『新明解国語辞典』）引き戸風の窓のことだ。

言葉による説明では思い浮かべることが難しいので画像をインターネット等で見てもらいたいが、この窓では隙間風が吹き込むのも当然だということがよく分かる。

㈣　旭川市博物館に置かれていた説明プリントによると、国内最低気温は明治三十五年（一八九一）一月二十五日に上川測候所(旭川地方気象台)で記録されているとのことだ。先生が十歳のときのことである。

ついでに書くと、この日、新田次郎の小説『八甲田山死の彷徨』などでも知られる「八甲田雪中行軍遭難事件」が発生し、雪中行軍中の兵士一九九名が亡くなっている。

㈤ 旭川に残っていた屯田兵屋は、保存のために「旭川兵村記念館」と「旭川市博物館」にそれぞれ移築展示されている。

㈥ 旭川市博物館に展示されている兵屋を見て、この構造で冬をよく過ごせたものだなと思ったが、後日、司馬遼太郎が『街道をゆく』(「北海道の諸道」)の中で「この兵屋は、小屋とも言いにくいほどに小さい。その貧寒とした粗末さ—たとえば、薄板一枚の外壁(内壁はない)で、窓はガラスなしの単なるすきま—を見ていると、この寒冷地でほんとうにこの小屋に生きた人間が住んでいたのかとうたがわれてくるほどである」と書いているのを知ったが全く同感だった。

㈦『永山町史』に出てくる入植者の手記にも「石狩川近くに入植した家ではますやさけそれに山べ(ヤマメのこと)をいつも採って舌つづみをうった」とある。

先生の家は石狩川から歩いて何分もかからない所にあった。

※ 写真①は「北方資料デジタル・ライブラリー」にあるもの(旭川市図書館所蔵)。大正時代に撮影されたものとのことだが、写真を見ると無双窓のところにはガラスがはめてあるようだ。

※ 写真②の兵屋平面図は旭川兵村記念館所蔵のものである。この記念館には兵屋の実物が様々な遺品や記録とともに展示されている。

二　利三郎、屯田兵として北海道に渡る

はじめに書いたように先生の父、利三郎は屯田兵だった。屯田兵としての応募資格があるのは十七歳から三十歳までの男子で、身長が五尺（約一メートル五十センチ）以上あり、身体が強健で兵農に堪えられる者がその条件だった。明治二十三年度の募集に対しては七百二十四名の応募がありその中から四百六十六名が選抜されたという[註(一)]。

その中の一人である利三郎（二十歳）が、営んでいた糖業に見切りをつけ、家族とともに北海道に向かう船に神戸から乗り込んだのは明治二十四年六月十四日だった。同行したのは、利三郎の父禧三郎と母ヱイ、二人の弟（艶太郎と光則）の四人だったようだ[註(二)]。

乗り込んだ金沢丸という船は、二千トン級の、当時とすれば大きな船で、屯田兵とその家族を乗せ、十二日ほどかけて小樽港に入港し、手宮駅（現在小樽市総合博物館の辺り）付近に上陸している[註(三)]。

この日、各人の入地先を決定する抽選が行われたが、そのときの様子を記した乾咲次郎という人の手記が『永山町史』に載っている。

> 夕方呼ばれていくと一尺五寸四角な箱があり、糸紐がたくさん出ている。くじ引きなのだ。一本を引くと一寸五分ほどの木札があらわれた。

利三郎の場合も同様だったはずだ。こうしてくじ引きによって入地先が決まった屯田兵たちは、翌日朝早く、客車ではなく石炭を運ぶ貨車に覆いをかけたものに乗せられて空《そら》知《ち》太《ぶと》駅（廃駅。現・砂川市にあった）に向かった。そこからは徒歩だ。永山までは四日間ほどかかる。乾はこう記す。

ふきとわらび、雑草の茂みを分け、腰まで露に濡れながら行く。牛朱別川の岸は昼もなおくらい柳の茂りをくぐり、丸木舟で対岸永山村に入る。

こういう道中なのだ。若い利三郎や弟たちであったとしてもずいぶん大変な旅だったに違いない。

やっとの思いで永山村に到着したのは七月一日のことである。

永山には二百戸ずつ東西に分かれて兵村が設けられ、一八二番と記された札を引いた利三郎が配属されたのは西兵村だった。

なお、利三郎が屯田兵として北海道に渡った経緯については「補遺」において詳しく述べた。

【註】

㈠ 伊藤廣『屯田兵村の百年　下巻』（昭和五十四年）

㈡『屯田兵村の百年　下巻』には付録4として「屯田兵制度に関する諸規則」が収録されているが、その中に「扶助人員ハ毎府県平均一戸凡ソ五人ト定ム」（「屯田兵召募事務取扱手続第二十一条）とあり、「官費ニテ移住スヘキ人員ハ一戸平均五人迄」（「屯田兵移住者心得」）となっているから、利三郎の祖父母などは、北海道での生活のめどが立った後から北海道に呼び寄せたようだ。

㈢　旭川市永山町史編集委員会編『永山町史』（昭和三十七年）

三　屯田兵の暮らし

永山に入村した屯田兵たちの暮らしについては『永山町史』が詳しい。これに拠りながら記述する。屯田兵としての始まりは入隊式の行われた明治二十四年七月八日である。この日から三年間にわたって厳格な現役教育を受けることになり「毎日午前は練兵、午後は開墾と定められ、各兵はキャハンにわらじの武装で、朝八時集合、整列、重いピーポーヂーマルチニー銃を担い、正午になると解散、早々に帰宅、武装を解いて昼食、今度は家族とともに野らに出る」という生活が続く。冬は兵屋を離れて、ということは家族とも離れてということになるが、野営しながらの七十日間にも及ぶ冬季演習が行われた。

全くなじみのない土地で、一方で厳しい軍事訓練があり、その一方で原野の開墾に取り組むわけだから、家族にとっても大変な苦労があったことは想像に難くない。ただ、永山の辺りは原生林が生い茂るようなところではなく「永山村は草原地が多かったので、開墾は非常に順序よくはかど」り、一年余りで支給された五㌶（一万五千坪。東京ドームが約四・七㌶だから、東京ドームよりも広い）の土地の開墾が終わったという。

「二十四年は入地したばかりだからわずかにそばと大根だけの蒔き付けだったがよくとれ」そばを百俵もとった人さえあったとあるから土地も思いのほか肥えていたようで、翌年からはそばや大根以外に「小豆、大豆、粟、稲きび、とうきび、馬鈴薯等」を作ったという。このうち「馬鈴薯は一株より五升もとれるからとてゴショイモ（五升薯）と呼び、第一の副食物であり、代用食であり、子供のおやつ」だった。

とはいえ、生活が楽だったというわけではない。『永山町史』には、昭和十五年に行われた元屯田兵による回顧座談会の記録が収録されているが、そこでは兵役と開墾を兼ねる屯田兵の苦労が様々語られている。

四　剣道との出会い

1　撃剣試合

苦労を重ねながら原野の開墾にあたっていた屯田兵村にあっては子供もまた貴重な働き手であったはずだ。そういう中にあって、どういうことから剣道への道を先生は歩み始めたのだろうか。

③先生が通った永山尋常高等小学校（旭川市図書館蔵）

そのことについては資料も言い伝えのようなものもないから想像してみるしかないのだが、子供の頃の出来事がその背景としてまずあったのではないかと思っている。

先生の子供時代というのは、日清戦争（明治二十七年）や日露戦争（明治三十七年）があり、それぞれ日本が勝利をおさめたことによる高揚感が国中にあふれ、尚武の気風がより強まっていた時代だ。屯田兵村であればなおさらであろう。日露戦争には父も叔父も出征している[註(一)]。

また、村民が集うような行事が催されたときには相撲大会とか撃剣試合が行われることが開村当時からよくあり、娯楽に乏しい屯田兵村ではそれに参加することや見物を楽しみにしていたようだ。明治二十四年、永山兵村の開村と同時に小学校が設けられたときも、その開校式の後に校庭で撃剣試合が開かれている[註(二)]。

そういう時代の子供たちの多くは、サッカー選手や野球選手に憧れる今の子供たちのように、剣道家に憧れたのではないだろうか。

当時、屯田兵の父親などには、明治維新前後に実戦を経験している腕に覚えのある者も少なからずいたようで、撃剣試合に出場するだけでなく、若者や子供に剣道を手ほどきするといったこともあったらしい。

恐らく先生なども、子供の頃に剣道の手ほどきを近所の老人から受けていたのではないかという気がする。

【註】

㈠ 日清戦争の際には明治二十八年二月に動員がかかり、屯田兵は東京に集結して出征を待つが戦争は終結し、結局戦地には赴くことなく帰還する。

日露戦争のときには、入村して十年以上たっているから全員が後備役であり、四十歳を越える者も少なからずいたわけだが出征している。先生の父利三郎も叔父の光則も出征している。

永山兵村の屯田兵は、旅順要塞の包囲軍に加わり、要塞制圧後は、日露合わせて六十万人以上の将兵が戦いを繰り広げた奉天会戦に参加するが、一割以上の戦死者と多数の戦傷者を出した。

㈡『永山町史』に屯田兵だった人の手記が掲載されているが、そこに先生が通った小学校の開校式の日のことが記され「午後は撃剣試合と相撲あり。撃剣には継父茂成も出て、昔の武士時代の面影を示す」とある。

村民が集まるような行事があるときには、相撲大会とか撃剣試合が催され、普段娯楽に接する機会のない村民や心得のある者にとっては心待ちにしている楽しい催しだったことだろう。先生もこれらを目にしていたはずで、そのことも剣道を始めることに繋がっているように思う。

※　写真③は永峰先生が通ったと思われる永山尋常高等小学校で明治三十一年二月に開校（写真の校舎の落成は明治三十一年六月）している。「北方資料デジタル・ライブラリー」にあるもの（旭川市図書館所蔵）。

2　「御存命だったのか」

先生は、旧制上川中学校（現・北海道旭川東高校）入学後、本格的に剣道を大河内三千太郎という人から学んでいる。大河内は、単に剣道を教えたというだけでなく、先生の生き方に大きな影響を与えたと思われる人物で、先生が中学に入学した頃三千太郎はすでに六十歳を越えていたようだ。『旭川剣道史[註(一)]』に、明治四十四年発行の旭川毎日新聞に掲載された三千太郎の記事が紹介されているが、そこに

　大河内氏今や六十有九歳の高齢にして、恰も老衰せる如く見ゆるもけい古道具を装して竹刀を手にせるや、勇威の風自ら備りて壮年者の如くに変り観る者をして、昔を忍ばしむ

とある。まるで先生のことが書いてあるようだ。僕が稽古をつけてもらっていた頃、先生は八十歳近くだったと思うが、背筋がピンと伸びていて「老衰せる如く見」えるようなことはなかった。とはいえ、どこから見ても老人であることには違いない。ところが防具を着け竹刀を手にして道場に立つと、やはり三千太郎同様一変し「勇威の風自ら備りて壮年者の如くに変」わった。

④上川中剣道部員と三千太郎

それはともかく、三千太郎の明治四十年代の写真④[註(二)]を見ると、白いあご髭を長く生やした好々爺にしか見えないが、剣術だけでなく鎖鎌術においても知る人ぞ知るといった隠れた名人だったようだ。

この三千太郎について先生から次のような話を聞いたことがある。

武専に入学し、主任教授である内藤高治に初めて会ったとき、これまで誰の指導を受けてきたのかと聞かれ「大河内三千太郎先生です」と答えると、内藤がたいそう驚き「大河内先生は御存命だったのか？」と、しばらく感慨深げな表情をしていたという。そして「鎖鎌であの方の右に出る者はおるまい」と独り言のように呟いたといい、先生は内藤のそのときの表情をはっきり覚えていると話してくれた。[註(三)]

今、この三千太郎について知っているという人は、一般の人はもちろん、剣道をしている者でもまずいないだろうが、それは彼の在世当時も同様で、旭川では別だが、全国的には無名の人だったといっていい。

三千太郎については第九章で詳しく取り上げたのでそちらを読んでほしいが、実に興味深い人生を送った人で、明治維新の際には新政府軍に抵抗して函館五稜郭で榎本武揚などとともに最後まで戦った一人だ。

五稜郭での戦いは明治二年に終結し、三千太郎は他の降伏人とともに一年ほどの謹慎生活を送っている。釈放後上京し、その後二十年近くを東京で過ごす。この間榊原鍵吉[注四]のもとで修行を続け撃剣興行に出場したこともあるようだ。

明治二十二年頃再び北海道に渡ると二年ほど空知《そらち》集治監（刑務所）の看守を務めた（剣道も指導していたようだ）後、旭川で運送業を始める。そして明治三十四年七月に、旭川の有力者の協力を得て道場（上川尚武館）を開く。これが旭川での剣道の始まりだったという。

この道場の盛況ぶりを伝える明治四十四年発行の旭川毎日新聞の記事が『旭川剣道史』に紹介されている。

　上川尚武館は旭川町一条通九丁目左七号にありて今より十二年前に現館長不二心流兼直心影流指南大河内三千太郎の創立にして実に上川地方における武術道場の嚆矢たりしなり、以来同館の門に入りたるもの六百有余に達し、目下同門に通い居るもの六十余名ありと、目下日夜竹刀の響き気合いの掛け声など絶えたることなく、近ごろ朝けいこの催しありて門弟が本業に出勤する前暁鐘と共に同館に集まり来るもの毎朝二十余名ありという。

これなどを読むと上川尚武館が活気にあふれた道場であったことがよく分かるが、同時に道場主である三千太郎の剣の実力と人物がうかがえるように思う。

明治三十四年（一九〇一）七月十四日に道場開きが行われた上川尚武館は、間口五間（約九㍍）、奥行き七間（約十三㍍）という道場だったという。

この建物だが、当時のままというわけではないが旭川市一条通九丁目に今も残っている。旭川駅のすぐ近くで、歩いて五分もかからないくらいのところである。

そこは現在、雨尾米穀燃料店という店になっている。昨年の夏、三千太郎の研究家である旭川の菊田信行さんに伴われてこの店を訪れ、店主の、九十歳半ばになる母親から話を聞くことができた。

その方によると、大正十二年に雨尾家がここを買い取った後、道場だった建物を大幅に改築して店舗としたが、建物そのものを取り壊したわけではないという。

永峰先生が中学生の頃稽古に励み、三千太郎の鎖鎌の妙技に目を見張った建物が百年以上も経った今も残っているのだ。

上川尚武館から上川中学までは歩いて十分くらいだから、中学生の中には上川尚武館に入門し、学校だけでなく稽古をつけてもらっていた者も少なからずいたようだ。先生もその一人で、三千太郎だけでなく先輩の門人たちからもたっぷり稽古をつけてもらっていたことだろう。

さらに三千太郎は、近隣の小学校や道場から乞われるままに指導に出かけたり、旭川の第七師団へ

も指導に出向いている。註(五)

こういう三千太郎を当時の人々はどう見ていたのか。斉藤慎太郎編『上川便覧』（明治三十五年）にこう出ている。

⑤上川尚武館跡

功を立てゝ報を求めず実行を期して虚名を貪らず盛名の赫赫たるを得るよりは自身に於て疚しからざるを誓うもの大河内三千太郎君となす。君は其名の大ならんことを望まず此を以て人多く君の篤行を記せず。君や真に上川に於ける実行かと云ふべし。

難しい言葉が並んでいるが、要するに見返り（報酬や名声）を求めることなく社会のために尽くす人情に篤い人であるということだろう。

これは三千太郎が在世中に公刊された本に書かれたことだからと思う人もあるかもしれないが、三千太郎が大正七年十一月に亡くなったとき、その葬儀の様子を初代旭川区長市来源一郎がその日記にこう記しているのだ。註(六)

⑥三千太郎とその家族（旭川市博物館所蔵）

（適宜句点を加えた）

剣客大河内三千太郎氏七十三歳ニテ死去。本日送葬式アリ。会葬一円香典ヲ贈ル。氏ハ寡欲清廉ノ人格ヲ有スルノ人。同氏ノ薫陶ヲ受タル者一千人余名ナリト云フ。本日ノ葬式ハ門人一同ガ霊柩ヲ擔《かつ》グ。此擔ギタル人ハ杉本勇次坂東幸太郎ノ如キ区会議員アリ。紳士アリ。軍人アリ。教員アリ。如何ニ師弟ノ情義ノ厚キ且徳ノ高キカヲ予ハ師弟ノ情義ニ感ジ落涙セリ。

これは日記である。そこに記されている「寡欲清廉ノ人格ヲ有スルノ人」というのは、市来源一郎が三千太郎に対して普段から感じていたことをそのまま記したと考えていいだろう。

門弟の一人中鉢正綱も、後年三千太郎について次のように書いている。[註(七)]

旭川の地は尚武の盛んなるところでありました。是れ開拓の当初直心影流第十六代の師大河内三千太郎幸正とて頗る人格高き温厚篤実の老人が居られまして、上川尚武館なる道場を開き主として青少年を集め剣道を奨励する為であります。

いつの頃の話か分からないが、先生のところに「九段を」という話があったのだそうだ。それに対し、歳をとって以前のようには剣道ができないのにもらうことはできないと断ったという。先生もまたその師三千太郎のように「寡欲清廉ノ人格ヲ有スルノ人」だった。

【註】

㈠　旭川剣道連盟編『旭川剣道史』（平成八年）

㈡『月刊剣道日本』一九九三年五月号に「聞き書き剣道史　榊原鍵吉高弟直心影流山下関助の波瀾万丈を辿る話」が掲載されているが、この中に上川中学校の剣道部員十人と一緒に写る三千太郎の写真が出ている。同じ写真が関助の次男水下信業から先生に贈られ先生の手元にもあった。

㈢　永峰先生は『剣聖内藤高治先生』に寄せた回想の中でも三千太郎に触れ

> 先生は剣道の外に、鎖鎌にも達しておられたと想うのですが、先生から伺った唯一度のお話と、玉利嘉章先生収集の鎖鎌稽古の武装をせられた立派な写真を拝見した以外に、資料はありませんが、私の師の大河内三千太郎先生を天下無二の大先生だ、先生はまだご在世か、といってお悦び下さったことを綜合して、右のように考えます。如何でしょう。

と記している。

㈣　榊原鍵吉は十三歳で男谷精一郎に入門、直心影流剣術を学ぶ。安政三年（一八五六）講武所が開かれると男谷の推薦により剣術教授方となる。講武所が廃止されると遊撃隊頭取をつとめた。のち下谷車坂に道場を開き剣術の指導にあたる。明治維新後、剣術の衰退を見て、明治六年（一八七三）撃剣興行を行いその復興につとめた。明治十九年（一八八六）明治天皇の前で兜割りを披露した（「近代日本人の肖像」国立国会図書館他を参照）。

㈤　斉藤慎太郎編『上川便覧』（明治三十五年）

㈥　市来源一郎の日記の該当箇所については、菊田信行さんから提供してもらったコピーを参考にした。

㈦『旭川剣道史』によると、中鉢正綱の一文は、中鉢が上川中学校の開校五十年史に寄せたものとのこと（引用は『旭川剣道史』に再収録されたものから）。

※　写真⑥は旭川市博物館所蔵のもの。撮影年月日は不明だが晩年の家族写真か。旭川市博物館には写真のほかに『直心影流註解』という、三千太郎が述べたことを、弟子の誰かが筆記したのではないと思われる直心影流伝書の解説書のようなものもある。

3　坂東幸太郎

先生が剣道の道に進むのに大きな影響を与えた人物が三千太郎のほかに実はもう一人いたのではと考えている。それは坂東幸太郎という人だ。先生を知る人でも聞いたことのない名前だろう。

坂東家というのは先生の曾祖母ヨネの実家だから先生の縁戚になるのだが、幸太郎については、先生の娘さんである質子さんも知らなかったくらいだから、先生を知る人であっても知らなくて当然だ。

幸太郎は、旭川の区会議員を出発点として政治の世界に入り、衆議院議員を戦前から戦後にかけて二十年以上も務めた人で、戦後は旭川市長も務め、旭川ではよく知られている人である。

以下、幸太郎の閲歴についての記述は『引田町史　近・現代』[註(一)]及び『坂東幸太郎傳』[註(二)]に拠る。

幸太郎の父親善次郎は叔母の嫁ぎ先である永峰家を頼って明治二十四年（一八九一）八月北海道に移住する。移住に至る経緯は永峰家と同様で、営んでいた糖業に見切りをつけて新天地で新規まき直しを図るためだった。善次郎の場合は年を取り過ぎていたために屯田兵にはなれなかったのだが、屯田兵として先に北海道に渡っていた利三郎からの手紙で、一般人としての移住でもチャンスがあると判断したのだろう。善次郎は妻と三人の子供を連れ北海道に渡る。長男である幸太郎は十歳だった。

当初は永山村の利三郎の家に身を寄せていたようだが、間もなく旭川村に掘っ立て小屋を建ててそこで屯田兵村相手の商売を始めている。店がある辺りの道の両側は人の姿も隠れてしまうほどの草原で、昼間でも一人歩きは恐ろしいほどのところであり、道端からウサギや狐がしょっちゅう飛び出るような場所だったという。明治二十四年当時の旭川辺りの人口は数百人だったというからそんな光景がよく見られたのだろう。

そんなところに屯田兵として四百名、家族を含めると二千四百名もの人間が移住してきたのである。屯田兵とその家族を相手にすれば商売になると踏んだ善次郎は、日用雑貨、酒たばこ、米、呉服、営農資材等々を売る荒物雑貨屋を始める。善次郎の読みは当たり、店は少しずつではあるが大きくなっていった。

そんな中、明治二十七年尋常小学校を卒業した幸太郎は家業を手伝うようになるが、この頃から、屯田兵の家族で元は武士だったと思われる中村伊曽次という人物から剣道の手ほどきを受ける。その後上川尚武館に入門し、大河内三千太郎から本格的に剣道を学ぶようになる。[註三]

家業と剣道に明け暮れる生活の中で幸太郎は、東京専門学校（のちの早稲田大学）への進学を考えるようになるが、尋常小学校しか出ていない彼には受験資格すらない。その資格を取るための検定試験に合格するために、仕事や稽古の合間に独学で猛勉強に取り組み、受験資格を得ることに成功する。[註四] そして明治三十四年（一九〇一）東京専門学校に入学を果たす。

明治三十七年（一九〇四）に卒業し旭川に戻った幸太郎は、家業である坂東荒物雑貨店を営みながら、「旭川の商工業関係問題には常にその先頭に立っていた」（『坂東幸太郎傳』）という。

四年後の明治四十一年、再び早稲田大学の門をくぐる。先生が上川中学に入学したと思われる年だ。幸太郎が旭川経済界の有力者に懇請されて旭川に戻るのは大正二年のことだから先生が中学を卒業した年ということになる。

幸太郎は、旭川に戻ると前述したように政治の世界に入り、衆議院議員を戦前から戦後にかけて二十年以上も務めるなど大いに活躍し、戦後は旭川市長も務め、名誉市民にもなっている。

竹内洋『立身出世主義近代日本のロマンと欲望』によれば、明治の大ベストセラー『西国立志編』（サミュエル・スマイルズ著、中村正直訳）は「努力奮闘しさえすれば、誰にでも立身出世の可能性が開かれていること」を説き、明治時代の小学校教科書でも「立志や学問、勉学、勤勉などの立身出世モラルが説かれた」という。

幸太郎は、ここにあるような、明治の若者のあるべき姿を体現したまさに立志伝中の人物であったといっていいだろう。

そうした人物が先生の身近にいたのだ。その影響を受けなかったはずがない。

【註】

㈠ 引田町史編さん委員会『引田町史　近・現代』（平成七年）
引田町（現・東かがわ市）は永峰、坂東家の故郷。

㈡ 旭川市『坂東幸太郎傳』（昭和五十六年三月）

㈢ 旭川剣道連盟編集委員会『旭川剣道史』（平成八年）に

明治四十年には瀬古退助、矢島甚左衛門の二人が初めて直心影流剣道の免許を受けた。次いで大正七年には坂東幸太郎、西島太十、中鉢正綱らも免許を受けた。

とある。幸太郎が三千太郎に入門したのは明治三十年（一八九七）頃と思われるから二十年後くらいに免許を受けたことになる。

上京して九年間（早稲田に二回入学している）は旭川にいなかったわけだが、大学に通っている間もどこかで稽古をしていたのではないかと思う（早稲田の剣道部員だったかもしれない）。もちろん旭川に戻った後は上川尚武館で稽古をしている。

㈣ 竹内洋『立志苦学出世』によれば、明治三十年代半ばから高等学校や官立専門学校（東京工業大学の前身である東京工業学校や一橋大学の前身である東京高等商業学校）などは入学試験が激化してくるが、早稲田のような私立の専門学校は、希望すればほぼ入学できたという。

ただし、中学校卒業者でなければ受験資格がなかったから尋常小学校しか出ていない幸太郎は受験すらできなかった。そこで合格すると中学校卒業資格が与えられる専検（専門学校入学者検定試験）合格を目指して幸太郎は必死になって受験勉強に取り組み合格するのだが、竹内によると専検合格率は五％前後で、「専検は中学校卒業資格であったにもかかわらず、実際は中学校を卒業するよりも難しかった」という。

五　「シマレ　ガンバレ」

先生は北海道庁立旧制上川中学校の第六回卒業生だ。この学校は明治三十六年（一九〇三）、札幌、函館、小樽に次ぐ道内四番目の中学校として開校（大正四年校名が旭川中学校となる）。道内公立高校有数の進学校である旭川東高校の前身にあたる。

自宅のある永山村から学校までは約七㌔。歩けば一時間半以上はかかると思われる距離だ。先生の家は永山駅の近くだったから今であれば列車通学だろうが、明治から大正にかけてのことだから歩いて通っていたかもしれない。

ただ、旭川はとにかく寒いところだから、普段は通っていたとしても、雪の降り積もる冬の間は旭川市内の知り合いの家、例えば坂東幸太郎のところにでも下宿していたのではないかという気がする。稽古は学校だけでなく上川尚武館でもしていたようだし、永山の狭い屯田兵屋には先生を筆頭に子供たちだけでも七人いたことを考えると、冬だけでなく中学校時代はずっと幸太郎の家に下宿していたかもしれない。あるいは、旭川東高校で見せてもらった『創立三十周年回顧写真帖[註(一)]』には学校の寄宿舎の写真が掲載されているからそこに入っていたということも考えられる。

⑦明治四十一年上川中学第一回卒業生

⑧旭川東高校（令和元年夏）

さて、上川中学校で先生はいったいどんな学生生活を送っていたのだろうか。

それをうかがわせるような二つの資料がある。いずれも北海タイムス紙上に掲載された記事である。[註(二)]

大正元年十一月十日、運動場で上中剣道部の紅白試合が開かれた。紅組の大将、永峰晃にとっては、在学最後の試合だった。白組残り三人に対し、紅は大将一人の劣勢となったが、永峰の踏ん張りで引き分けに持ち込んだ。（略）当時、上川中では柔、剣道部の人気が高く、盛んな活動をしていた。それを裏付けるように、此の紅白試合には、一年から五年まで総勢百二人の部員が参加し竹刀を合わせた。

もう一つはストライキ事件に関する記事だ。先生は上川中学校の六期生になるわけだが、この六期生は四年生のとき、全員で校長排斥のストライキを起こしている。先生もこの中にいたというわけだ。

サボりたい―という単純な動機で始まったが、上川新聞に出た小林校長の不正事件（真偽はいまだに定かでないが学校の備品を売って、碁盤を買ったという記事）を追及、朝礼後、四年生甲乙両組全員が、「ワッショイ、ワッショイ」と化学室になだれ込み、たてこもった。（略）しかし、授業をサボりたいというのが本音では、長続きするはずもなく、二日目には、全員が「申し訳ありません、深く反省しています」と口裏を合わせて学校側の調べに答え、一件落着したかにみえた。思い通りの痛快な一日半を過ごし、厳しい処分はないだろうと、生徒たちはたかをくくっていたが、「放校四人、他は全員無期停学」の厳重処分となり、生徒たちは青ざめた。

以前、先生が書かれたものの中に、信条として稚気、覇気、根気の三気を中学時代から守っているとあるのを目にしたとき、先生の凛とした姿しか知らない僕などは、稚気という言葉に少しだけ違和感を覚えたが、これの記事を読み、なんだか和むような気分を感じると同時に、先生の信条の一つに「稚気」とあることが何だか少し分かるような気がした。註(三)

【註】

(一)　この写真帖には寄宿舎の他、先生が在学中の校舎などの写真も掲載されている。写真⑦は第一回の卒業生たちが正面玄関前で写した写真だが、この建物が旭川東高校に保存されている（写真⑧）。写真⑦は昨年の夏旭川東高校を訪問した際に、『創立三十周年回顧写真帖』から撮影させてもらったもの。

(二)　北海タイムス社編『シマレ　ガンバレ　キャンパス人脈（旧制旭川中学編）』（昭和五十八年）のあとがきにこうある。「旧制旭川中学は、道北の名門校として古くから知られ、学者、医師、軍人、作家、教育者など、数多くの英才を輩出し、その伝統はいまも後輩に受け継がれています。ここで学び育った人々の人生の軌跡を追った読み物が、五十七年二月からキャンパス人脈旭川東高校として北海タイムス紙上に連載され、好評を得ました。その後、これを本にしてはどうかという強い要望があちこちから出されたので、一冊にまとめ、同校の校訓「シマレ　ガンバレ」をタイトルに出版したものです」。

(三)　先生のこの言葉は、財団法人全日本剣道連盟が創立二十周年（昭和四十七年）を迎えたときの記念事業として、剣道界に於いて活躍する先生方に後進の指針となるべき言葉を寄せてもらって作成したという『創立二十周年記念現代剣道百家箴』（ひゃっかしん）に出ている。

六　旅立ち

先生は大正二年（一九一三）四月、大日本武徳会武術専門学校（通称武専）に進学するが、上川中学で同期だった者たちはどんな進路選択をしたのだろうか。翌年の同窓会誌にそれが載っている。高等学校（旧制）六名、専門学校六名、師範学校六名、小学校の代用教員六名、国鉄三名、民間会社一名、浪人生八名、不明十三名、病気療養中二名である。すでに亡くなった者も四名いた[註(一)]。

これは大正二年当時の地方の旧制中学卒業生の平均的な姿といっていいと思われる。旧制中学への進学率は地方であれば一〇%以下だから、中学校への進学者は、同世代の者たちの中でも経済面だけでなくいろいろな面で恵まれていたといえるだろう。とはいえ、この内訳をみて分かるように、上級学校への進学となるとさらに限られてくる。学力の問題というよりも経済的なハードルが高くなることも関係しているからだろう。師範学校への進学者が多い一つの理由は、学費が極めて安かったからだ。

それはともかく、どうして先生は武専という開設されたばかりの、未だ卒業生も出していない、そして特殊なといってもいい学校を進路先として選択したのだろうか。

北海道から武専に進学したのは先生が初めてで、その後二十期生として一人が入学するまで北海道出身者は先生しかいなかった。武専卒業生は終戦によって閉校になるまでに五百余名を数えるが、そのうち北海道出身者はたった十四名だけである。九州出身者が百四十三名、他の地域もそれぞれ四十名前後いるのに対し北海道はいかにも少ない。註(二)北海道の旧制中学出身者の進路先としては、先生のときだけでなく、それから後も珍しいといっていい進路先だった。

先生は長男である。当時であれば長男は地元で家業を継ぐか、継がないまでも地元に残るのが一般的だろうし、親がそういえばそれに従うのが普通のことだったろう。

にもかかわらず、遠く離れた、しかも特殊なといっていい武専への進学からは、地元を離れたいという先生の強い思いというものを感じるのだ。

そもそも先生は武専の存在をどうやって知ったのだろうか。情報が簡単に手に入る現代とは異なり、明治末から大正の始め頃の旭川で、京都にできたばかりの武術専門学校に関する詳しい情報が得られたとは考えられない。得られたとしても僅かな情報でしかないはずだ。それをもとに自分の一生を左右するような進路を先生だけの判断で選択できたとも思えない。武専への進学について相談に乗り、そして強く背中を押した人物がいたに違いない。

その人物として、剣道の師である大河内三千太郎がすぐ思い浮かぶ。しかし、三千太郎は武専の主任教授である内藤高治とは旧知の間柄ではあるが、先生の武専進学について事前に連絡を取っていたような形跡がない。もし取っていたのであれば先生から三千太郎のことを聞いて「大河内先生は御存命だったのか？」と内藤が驚くなどということはないからだ。註(三)

では誰が。想像だが坂東幸太郎ではないかと思う。先生の身近にいる人間で最も視野が広かったと思われるのが幸太郎だからである。

すでに書いたように、彼は二度にわたって早稲田に入学し学んでいるが、三千太郎のもとで修行していた幸太郎のことだから、早稲田の剣道部に籍を置いていたか、さもなければどこかの道場で稽古していたに違いない。であれば当時の剣道界についてよく知っていたはずである。幸太郎が在学していた頃にはすでに内藤高治は京都に赴任していていなかったが、京都に行く前は早稲田の師範も務めていたから、内藤がどういう人物か聞き知ってはいただろうし、京都の大日本武徳会の本部が設けた武術教員養成所のことや、それが発展する形で誕生した武術専門学校のことなどについても耳にしていたことだろう。

幸太郎は、先生が上川中学にいた頃早稲田に再び入学していて旭川にはいなかったが、先生は、幸太郎が帰省した折に語った話とか手紙などのやり取りを通じて武術専門学校を知り、武専が武道教員の養成機関であることや学費が不要だったことに関心を持ったのではないだろうか[註四]。

先生を中学に通わせているくらいだから、屯田兵としての兵役義務を終えていた利三郎は、農業ではなく何か別の仕事を始めていてそれなりに成功していたように思うが、親の意に逆らって進学するとなればその費用を親に頼るわけにはいかない。ならば武専はどうかと先生に勧めたのが幸太郎ではなかったか。勧めただけでなく利三郎の説得にもあたったのではないかという気がする。

ともあれ、先生は武専に進学することになるわけだが、当時、武専への進学については、その受験に地元の武徳会支部の推薦が必要だったようだ。北海道にも、道庁長官を支部長とする大日本武徳会北海道支部が明治二十八年に発足[註㈤]しているから、先生の場合も支部長である北海道庁長官の推薦を得て受験したということになる。そのことについて先生も、当時の北海道庁長官西久保弘道の推薦で武専に入学したということを書き残している[註㈥]。

ただ、西久保弘道の推薦というのは先生の思い違いのようで、西久保の長官就任は大正三年だから、推薦者が西久保ということはあり得ない。西久保は大正八年に武専の校長になっているので、そんなこともあって勘違いされたのではないかと思う[註㈦]。

【註】

㈠　上川中学校同窓会『会誌』第一号（大正三年）

㈡　武道専門学校同窓会編『大日本武徳会武道専門学校史』（昭和五十九年）

㈢　高岡謙次編『剣聖内藤高治先生』（昭和五十五年）他

㈣「授業料ハ之ヲ徴収セス。」「生徒ハ総テ寄宿舎ニ入ラシム。食費ノ外舎費ヲ徴収セス。」と学校規則にある。

㈤　長谷川吉次編『北海道剣道史』（昭和四十五年）によれば、大日本武徳会の設立は明治二十八年で、北海道にも北海道庁長官を支部長として大日本武徳会北海道支部が発足しているが、活動は低調で武徳殿の建設も遅く昭和に入ってからだった。昭和天皇の御大典の式典（昭和二年の秋）が行われるのを機に「北海道支部武徳殿」や「旭川支所武徳殿」建設の話が持ち上がり、昭和四年に「旭川支所武徳殿」、昭和六年に札幌市に「北海道支部武徳殿」がそれぞれ建設されているのだが、その頃まで武徳殿がなかったのは北海道、沖縄、樺太だけだったという。

㈥　高岡謙次編『剣聖内藤高治先生』（昭和五十五年）他

(七)

西久保が大正三年に長官となったのであれば、先生の推薦状を書いたのはその前任者ということになるわけだが、ところがそう簡単な話ではないのだ。というのは、大正元年から大正二年にかけては長官が、石原健三、山之内一次、中村純九郎と三人も代わっているからである。いずれも高級官僚で後には勅選貴族院議員を務めている者たちだ。石原が明治四十四年五月十六日から大正元年十二月二十七日まで。山之内は大正元年十二月二十七日から大正二年二月二十七日まで務めて中村に引き継いでいる。

推薦状が武専に提出されたのがいつなのか分からないが、大正元年の九月頃から大正二年の二月頃までの間と考えていいだろう。だとすると、三人とも推薦者の可能性があるということになってしまい誰が推薦したのかはっきりしないのだが、それでも十二月に赴任した山之内や二月の末に赴任した中村ということはないと思うので推薦状を書いたのは石原の可能性が高いと思われる。

第二章　京都（大正二年〜大正六年）

一　大日本武徳会武術専門学校

まず始めに武専について『大日本武徳会武道専門学校史』を参考にして書いておきたい。[註㈠]

武専は、明治二十八年に「武道ヲ奨励シ武徳ヲ涵養スル」ことを目的とした大日本武徳会（官製の団体ではない）が設立されたことがその出発点となっているわけだが、この大日本武徳会の事業の一つに「各種ノ演武場ヲ設立シ武道ヲ講習セシムル事」があった。分かりやすく言えば全国各地に拠点となる道場を建設し、そこで柔剣道等の武道を教えようということだ。武徳会の全国展開はかなり早かったようで、静岡県でも明治三十年前後には支部が設立されていたようだ。[註㈡]

支部が各地に次々と設立され講習が行われるようになると、各支部から指導者派遣依頼が本部へひっきりなしに寄せられるようになってくる。しかし、人材不足でそうした依頼に対応することが難しい。そこで、指導者育成が急務となってきた武徳会は明治三十八年（一九〇五）武術教員養成所を設立する。

この養成所は明治四十四年までの六年間開設されていた。その間の卒業生（併設されていた講習科出身者を含む）は、中野宗助、持田盛二、斎村五郎、小川金之助、大麻勇次といった、のちに範士十段（範士十段はこの五名だけである）となった者をはじめとしてその多くがその後の剣道界の重鎮たちである。大長九郎、杉山和民、岡田良平といった静岡県関係者もこの養成所の出身だ。[註㈢]

この武術教員養成所が発展的に廃止されて新たに設立されたのが「私立大日本武徳会武術専門学校」である。武術教員養成所では学科も行われていたが、そもそもが「武術ノ教員タルヘキ者ヲ養成」することが目的だったから術科の成績がよければ卒業できた。それに対し、武専は「中学程度以上ノ各学校」の教員になることができるよう「必須タル高等教育ヲ施ス所」だった。だから先生が入学した年に設けられた国語漢文兼修科は卒業すると武術教員だけでなく、師範学校や中学校で国語漢文科教員になることができた。

【註】

㈠　武道専門学校同窓会編『大日本武徳会武道専門学校史』（昭和五十九年）

㈡　静岡県剣道連盟の『創立五十周年記念誌』に

　明治二十八年、大日本武徳会が創立し、数年後、大日本武徳会静岡支部道場が、城内の地に建設され、服部長賢が初代教授となり、ついで中條克太郎、加藤安平等が教授となった。この時代には旧旗本の生残りが相当あり、杉本義道、榊原久信、小倉潔之、鈴木高槻等の先生が盛んに稽古していた。

とあり、道場については

　昭和四年現在の静岡大学附属中学校の体育館の場所に寝殿造りの立派な武徳殿が建設された。朝六時より一時間、大長九郎、岡文雄、内山廣吉、小倉孝一、杉山和民の諸先生方が元方に立ち、市内剣士の指導にあたられた。毎日、竹刀の音が絶えることはなかったが、昭和二十年六月二十九日の空襲により焼失、同年八月終戦にともない占領軍の指示もあり、当市剣道界の火は消えた。また、武徳殿も再建されることはなかった。

とある。

㈢ 大長九郎、杉山和民、岡田良平については第六章で述べる。

二　死の装束

大正三年七月、上川中学校の同窓会が設立され同窓会誌の第一号がその月に出ている。先生が卒業した翌年のことだ。その会員消息欄に先生の消息が「山紫水明なる西京の武術学校にて朝夕心身の練磨中」と記されている。

この欄は、同級生たちにその消息を問い合わせ、その返信を参考に、各卒業年度の幹事と思われる人物が書いたもののようだが、一年前であったらこんな風には決して記されていなかったことだろう。一年前のその頃、先生は武専の厳しい稽古に堪えかね辞めることばかりを考えていたからだ。先生は、後年、その頃のことをこんな風に書いている。[註㈠]

私は大正二年、北海道庁立上川中学校を卒業すると、その四月に当時の北海道庁長官西久保弘道（無刀流の達人で、東京市長、警視総監後武道専門学校長）の推薦で、武徳会武道専門学校[註㈡]に入学したのであるが、当時この学校はまだ創立三年目で、三年生が八名、二年生が一三名、一年生が二〇名で計四一名、外に柔道部にこれとほぼ同数の合計八〇名ばかりの小専門学校ではあったが、全国の猛者の集りで活気があり、市内の大学、高校生の間には知られていた。

剣道の稽古は入学早々学校から約六百米離れた武徳殿で行われたのであるが、私の剣道は遊びの剣道から急に専門剣道に入ったのであるから、毎日午前午後の激しい稽古に耐えられようがない。忽ち悲鳴を上げてしまったのである。[註(三)]

京の町は花も散って、新緑の五月の日曜日、退学届けを懐にして入学保証人の印を頂きに行ったのであるが、幸か不幸か、その保証人が武徳会剣道の総師で武専剣道部の主任教授である内藤高治先生であった。実はこれが三回目で、今日こそはと堅い決意でお訪ねすると、小柄の美しい夫人が玄関にお迎えくださった。先生は大きな仁王顔一杯の笑みで、後ろにお立ちだった。座についたが、偉大な先生の人格にうたれて、今日こそはと考えていたことが喉元に詰まっている処に先生は開口一番、毎日の稽古が立派だとお褒め下さった。次いで剣道の先生は、真の日本人を育てる光栄の聖職であるから自重するようお諭しくださった。流石に剣道の達人、先生は明らかに私の心底を看破せられてのおことばである。今日もまた先生の先の先の一刀に制せられたのであるが、これこそ正に私には活人の一剣を頂いたのである。お返しする言葉は一言もない。その場で、「武徳殿道場に血へどを吐いて死ぬ」と決死の覚悟をして座を立った。

私は内藤先生宅の門を出るとまっしぐらに学校にとんで帰り、直ちに行李の白木綿の肌じばんを出し、これに黒三つの紋服を重ねて「死の装束」をした。そして新しい男が生まれたのである。

この「死の装束」が先生の剣道の原点だった。それは弟子への言葉によってもうかがえる。弟子の一人、吉林時政さん（教士七段）は『剣道日本』（平成十七年九月号）に次のような一文を寄せている。

> その体験を聞かされたのは、私が二十八歳の頃だった。永峰先生の私に対する容赦ない稽古は以前から続いていたが、ある日、稽古を終えた私に先生が「吉林、袴を脱げ」と命じた。そうは言われたものの、下着を着けていなかった私は袴を脱げない。それを見透かした先生は「お前はまだ道場で死ぬ覚悟ができておらん。倒れて衣類を脱がされても、武士として恥ずかしくない身支度を常日頃からしておくべきである。」と諭されたのである。私は今も「褌の戒め」として自らを律している。

こうした覚悟の元に取り組む武専の稽古がどれだけ激しいものであったのかについては項を改めて触れたい。

【註】

㈠『浜剣連だより剣友』第二号。『浜剣連だより剣友』というのは、かつて「連盟のことを会員に知ってもらうこと、会員相互が親睦を深め、一人一人が連盟の会員である自覚を高め、それらが連盟発展の原動力となることをねらいとして」（編集後記）浜松剣道連盟が毎月発行していた広報誌で昭和五十二年六月に第一号が出ている。

その第二号から「思い出」と題する先生の回想記の連載が始まっている。恐らく、先生が自身の剣歴を詳細に記した唯一のものだろう。しかし、広報誌が予算の関係で昭和五十四年六月以降は隔月の発行となり、その後しばらくして発行そのものが中止になったようだ。それに加えて先生がお亡くなりになったということもあって回想記は未完に終わっている。

この『浜剣連だより剣友』だが、発行されていた当時、毎号読んではいたものの保存していなかった。先生のことを書くにあたってはどうしても目を通しておきたいものだったが、浜松剣道連盟にもなく探しあぐねていたところ、当時編集に携わっていた鈴木健さん（教士七段）が、十九号（六号と十四号が欠けているが先生が執筆した分についてはすべて含まれている）までを保存されていることが分かり、ようやく再読することが出来た次第である。

なお「発行そのものが中止になったようだ」とあいまいな書き方をしたのは、十九号の編集後記に「本年度から編集予算が削減された為、剣友は隔月に発行する事になりました」とあるのだが、鈴木さんをはじめ「浜剣

⑨『浜剣連だより剣友』

連だより剣友」に関わった何人かの方に聞いても、それ以降のことがはっきり摑めなかったからだ。憶測でしかないが十九号をもって『浜剣連だより剣友』は終了したのではないかという気がする。

㈡ 正確に書けば、先生は「私立大日本武徳会武術専門学校」の卒業である。『大日本武徳会武道専門学校史』によれば、校名が「私立大日本武徳会武道専門学校」と改称されたのは、先生卒業後の大正八年（一九一九）八月一日のことだ。同年八月二十一日には「私立」を削除している。

「術」から「道」への変更理由は、「術」という言い方では技術に偏ったものとなり、最も尊重すべき精神がおろそかになる恐れがあるということにあったようだ。

「武術」から「武道」に改めることを強く主張したのが当時の武専校長であった西久保弘道だった。以後武徳会では、剣道、柔道、弓道などを総称して武道と呼ぶことになったという。

武徳会のこうした動きを背景に、文部省も大正十五年（一九二六）に、撃剣を剣道に柔術を柔道に改めている。

㈢「私は大正二年～悲鳴を上げてしまったのである。」の部分は「浜剣連だより剣友」にはないが、先生の原稿（広報委員の一人だった池谷（現姓藤井）たまゑさんが保管）には記されていたので加えた。二回目以降にもカットされた部分があった可能性があるが目にすることが出来た原稿は第一回分だけなのでそれについては不明。

三　京都武徳殿道場

先生が「血へどを吐いて死ぬ」と、決死の覚悟で稽古に打ち込んだ武徳殿道場は、京都の平安神宮

⑩京都武徳殿

の敷地内、北西の位置に明治三十二年（一八九九）大日本武徳会により木造で造営された道場だが今もある。

それだけでなく、百二十年前に建てられたこの道場では、今でも毎日のように様々な武道団体が稽古に励んでいる。昨年の秋に武徳殿を訪れた日も合気道の人たちが稽古をしていた。

この道場を会場に毎年五月二日から四日間にわたり「全日本剣道演武大会」（通称京都大会）が行われているが、出場できるのは錬士六段以上の者に限られるから、剣道家にとってはあこがれの道場といっていいだろう。ましてや、この道場で稽古に明け暮れた青春時代を過ごした先生にとってはなおさら特別な場所だったに違いない。

娘の質子さんは「父は誕生日（五月四日）に家にいたことはありませんでした」という。毎年必ず京都に赴き、全国各地の剣友たちと剣を交えていたのだ。

現在、武徳殿の北側には京都市武道センターの本館があるが、ここが武道専門学校の校舎があった場所だ。武徳殿とセンター本館の間に、「大日本武徳會武道専門学校碑」と刻まれた大きな石碑が建っている[註㈠]。

武徳殿の正面から南に七十㍍くらいのところに正門があるが、現在はここからの出入りはできないようだ。門のすぐ前が駐車場になっていて、終日、何台もの大型の観光バスが門からの出入りを塞ぐように駐車して、まるで開かずの門であるかのようだ。

ついでに書くと、この門はもともと京都守護職屋敷の門であったものを移築したものだという。京都守護職といえば幕末の文久二年（一八六二）に江戸幕府が設けた役職で、会津藩の松平容保が就任しているが、京都守護職預かりとして活躍したのが新選組だから、近藤勇、土方歳三、沖田総司といった新選組の者たちが何度もくぐった門ということになる。

【註】

㈠　先生が在学していた当時の校舎が、石碑が建つ京都市武道センター本館のところではないことに気づいたのは「大日本武徳會武道専門学校碑」と刻まれた石碑を実際に見たときだった。
この碑を目にするまで、武徳殿と校舎の位置関係についてはほとんど意識したこともなく、武徳殿の近くにあったのだろうとなんとなくそう思っていただけだったのだが、現地を訪れてみると校舎跡の武道センターと武徳館の間は十数㍍しか離れておらず、先生が『浜剣連だより剣友』に「剣道の稽古は入学早々学校から約六百米離れた武徳殿で行われた」と書いていたことと全く話が合わないことに気づいたのだ。

つまり、先生が在学中には石碑が建っている辺りには校舎はなかったということだ。では、どこにどんな校舎があったのか。

京都から戻り調べてみた。「特集武道専門学校」『剣道日本』（昭和五十六年十二月号）によると校舎の「場所は上京区字大路三十一番地」だったという。現在でいえば上京区吉田中大路町で、地図で見ると武徳殿から六百メートルほどのところだから先生が書いたものと一致する。

そしてその校舎だが「三高寮歌にいう『月こそかかれ吉田山』の山麓だが、わかりやすくいえばこの地にあった私立吉田中学校校舎が空家となっていたところへ、建物だけを買収してすべり込んだというていのものだった」らしい。

ちなみに『剣道日本』昭和五十三年（一九七八）一月号にはこの校舎と思われる写真が出ている。石碑があった所に校舎が建てられることになったのは大正十三年のことで「特集武道専門学校」に「武徳会本部と同構内に校舎を新築することになり、鉄筋コンクリート建て二階の新校舎が竣工したのは、翌大正十四年一月のことだった」とあり、校舎の写真も掲載されている。校舎の図面については『大日本武徳会武道専門学校一覧』（昭和二年）に掲載されている。

四　カリキュラムに英語

武専といえばとにかく激しい稽古だったことで知られているから一日中稽古ばかりしていたように思われがちだが、授業時間の半分近くは座学となっている。先生が在籍していた頃の武専には本科と国語漢文兼修科の二科があり、先生は本科だったと思われるからここでは本科がどのようなカリキュ

ラムであったかを示す。[註一]

第一学年の科目は次の通りだ。（ ）内の数字は週あたりの時数で、修身（二）、国語（四）、漢文（四）、歴史（二）、生理、衛生（二）、武術（十八）、計三十一時間だ。二、三年生になると、生理、衛生（二）が無くなり、その代わりに教育学、教授法（二）となる。武術（十八）は同じ。先生が入学した頃にはなかったようだが、翌年からは「学科課程中ニ随意科英語」が加えられている。前身の武術教員養成所には英語のほかに数学の授業もあったという。[註二]

というように、かなりの時間が学科にあてられている。校名からは連想しにくい英語のような科目がカリキュラムにあるというのは、武専という学校のバランス感覚のよさがうかがえる。

学科の教授や講師の多くが京都帝大の教授だったし『禅の研究』で有名な西田幾多郎や、歴史学者の原勝郎、『広辞苑』の編纂・著者として知られる新村出、中国文学者鈴木虎雄などといった一流の学者たちが武専の教壇に立っていたのをみれば、いかに武専が武だけでなく文に力を入れていたかが分かる。[註三]

とはいえ、武術、すなわち剣道の授業は週（月～土）に十八時間。ということは、毎日平均三時間の稽古があったということになる。それも中身の濃い激しい稽古なわけだから大変だったはずだ。先生と同期の左座藤三郎[註四]によると

午前八時から十時まで学科（吉田町）、十時から正午まで術科（武徳殿）、午後一時から三時ま

で学科（吉田町）、午後三時から五時まで術科（武徳殿）という日課である。寄宿舎の門限は九時。だったという。午前午後それぞれに二時間の稽古だと週十八時間をだいぶ超えてしまうから、授業時間以外の稽古も入っていると思われるが、とにかくこれくらいの時間はやっていたのだろう。学生からすれば、座学があったとはいっても感覚的には朝から晩まで稽古をしていたような感じだったに違いない。[註(五)]

【註】

(一)　先生が亡くなった後、次男の致さんがまとめた「永峰晃（父）の経歴」の中に「大正五年大日本武徳会武術専門学校本科剣道部卒業」とあるのに従ったが、先生自身が、浜松工業学校で「剣道の外に国漢を受持っていて」と書いている（「剣友」）から、本科ではなくて国語漢文兼修科の卒業だったのかもしれない。

『大日本武徳会武道専門学校史』に国語漢文兼修科が設けられたいきさつが出ているが、「卒業者の就職上、国漢教員の資格を兼有していることは便利」というのがその目的だった。国語漢文兼修科を設けることについては、二兎を追う者は一兎をも得ずのようなことになるという反対意見も少なからずあったらしい。

(二)　卒業生の話の中に英語を学んだという話は出てこないが、昭和二年の『大日本武徳会武道専門学校一覧』に掲載されているカリキュラムにも随意科（選択することができる科目）に英語の時間が組み込まれているから相当後になるまであったと思われるし、選択した学生もいたのだろう。

修身というのは道徳のこと。歴史は一年次が武士道史、二年次が日本武芸史と日本武器史、三年次は最近世史と列国の大勢となっている。数学はなかったようだ。

㈢『大日本武徳会武道専門学校史』に学科の教授や講師の一覧が出ている。

㈣左座藤三郎範士八段は明治二十五年福岡市生まれ。武専卒業後は鳥取県警察部剣道師範や満州国中央警察学校教授を務めた。

戦後は、深川剣友会（東京）を昭和三十二年に立ち上げ晩年まで熱心に指導に取り組んだという。昭和六十二年一月に九十四歳で亡くなっている。左座については深川剣友会のホームページに詳しい。

㈤武専の稽古時間は年代によって異なっていたようだ。斎村五郎によれば、大正四年までは午前午後の二回だったという。

大正十五年に入学した長谷川壽は

> 武専は、朝八時から始まり、午前中は国漢、生理、衛生などの学科を勉強し、午後一時半から稽古です。水曜日と金曜日は形でした。形と切り返し、月、火、木、土は稽古でした。土曜日は午前中で稽古だけ。稽古は、一時半から三時までで、三時から四時まで講習生の稽古がありました。だから、稽古は一日一時間半ぐらいで三時の稽古が終わるとそれで一日が終わりです。（『私の剣道修行第一巻』）

と語っている。しかし、それでは週十六時間（長谷川の頃のカリキュラムでは十六時間）にはならないし、一日一時間半の稽古時間ではいかにも少ないと思うがこの辺りのことはよく分からない。

昭和三年入学の土田博吉も「三時から四時までは講習生も入れた稽古です」と語っているから十六時間には講習科の稽古時間も加えてあるのかもしれない（『私の剣道修行第一巻』）。

先生の在学当時に行われていなかったようだが、昭和十年からは六時から一時間の朝稽古もあったらしい。

ところで、ここに出てくる講習科だが『大日本武徳会武道専門学校史』によると武専に併設され、規定によれば、武徳会会員で「一定ノ業務ニ従事スル傍ラ修業ヲ望ム者又ハ然ラサルモ校長ノ特ニ承認シタル者」が講習生になることができた。「一定ノ業務ニ従事スル傍ラ修業ヲ望ム者」というのは、例えば地方の警察署から剣道修行のため派遣された警察官などだ。「校長ノ特ニ承認シタル者」の中には、武専の入学資格は中学校（旧制）卒業者ということになっていたから、該当しない者が各地の武徳会の推薦を受けて講習科に来ているケースや、武専を不合格となって再度試験を受けようとする浪人生が含まれていた。

武専は志願者が多くて狭き門だったから講習科には浪人生がかなりいたようで、昭和八年に入学した池田勇司は試験に落ちて講習科に入るが、「武専を受ける一浪、二浪が講習科にはずらりといる」ので驚いたという（『私の剣道修行第一巻』）。

五　武専の猛稽古

武専の稽古が凄まじいものであったことはよく知られているところだ。その内容は次にあるように切り返しと打ち込みといった基本が中心だった。

武専における稽古は徹底した基本訓練を旨とし、打ち込み、切り返し、体当たりに終始したと

> いっていい。十分に息を吸い込むや飛び込んで正面を大きく打ち、打つや精力を尽くして体当たりを行う。切り返しもまた一呼吸のうちに左右の面を連続して打ち、呼吸が尽きればまた新しく息を吸い込んで正面を打った。掛り稽古では組打ち、足がらみなどがさかんに行われた。が、いわゆる互角稽古はなく、試合と呼べるものは学期末に実施される武科試験のときに限られていた。
>
> これとても勝敗がどうのこうのということではなく、その内容が重んじられて採点の対象となった。成績の結果はすこぶる厳しく、ただちに席順となってあらわれ、つぎの試験が行われるまではその席順で道場に並ばなければならなかった。（中略）
>
> 稽古は荒稽古で、掛るほうも必死なら受けるほうも必死だった。打ち掛る、外される、流される、足払いを食う、突き倒される、それでも徹底的にぶち当たっていったものだ。[註(一)]

先生によると、入学して半年間は全員が白い面紐を付けて元立ちがよしというまで一心不乱に打ち込むという、切り返しと掛り稽古以外は許されなかったという。

これがどういう稽古だったのか少しだけイメージできる。というのは、高校生のときに先生に掛かる稽古がまさにこういう稽古だったからだ。切り返しを行った後、ひたすら大きく面、あるいは小手、面と打ち込みを繰り返し、よしとなったら切り返しで終わるのだが、あっという間に息も絶え絶えになってしまい、五分もたたないうちに切り返しということになっていた気がする。

とはいっても先生が高校の道場にやって来るのは週に三日だ。毎回お願いするとしても苦しい目に合うのはたった三回だけである。

それに対し、武専時代の先生の場合は突きあり、足がらみあり、組み打ちありの激しい稽古を日に何回も行っていたのだから、先生が『浜剣だより剣友』に書いていたとおりの「武徳殿道場に血へどを吐いて死ぬ」覚悟をして「死の装束」で臨まざるを得ないような稽古だったはずだ。[註二]

そんな覚悟で稽古に臨んでいたのは先生だけではない。先生と同期の左座藤三郎も「私は斎村先生と死んでもいいという覚悟で組打ちをやってました」と語っている。[註三]

先生が在籍していた頃、助手だった宮崎茂三郎は、身長が一・八メートル、体重が九十キロという巨漢で、二三〇匁（約八六三グラム）の竹刀を軽々と振っていたというが、こういう人たちが何人も元に立って手荒く稽古をつけていたのだから、稽古をつけてもらう側がどんなに大変な目に合っていたか言うまでもないことだろう。

ただ、掛かる側も気持ちでは負けなかったようで、宮崎先生とはよく組み打ちをやったよと先生から聞いたことがあったが、いつもいつもねじ伏せられていたとは決して言わなかったところにそれを感じる。[註四]

こうした普段の稽古にもまして肉体的にも精神的にも苦しい稽古が土用稽古（夏の一番暑いときに行う稽古）や寒稽古で、特に一月の十日前後から一月いっぱい行われる寒稽古については、卒業生の多くが異口同音にそれがどんなに過酷なものだったか口にしている。

寒稽古は午前五時から一時間半で、ただひたすら切り返し、打ち込みを行うというもので、これを何本やれるかを競い合ったものらしい。これを一時間に二十五本行ったという猛者の記録に対抗した先生は、二十二本迄は覚えていたが、とうとう失神してしまい仲間に水飲み場まで運ばれたことがあったという[註㈤]。

【註】

㈠「特集武道専門学校」『剣道日本』（昭和五十六年十二月号）

㈡この当時の武専の稽古が激しいものであったことは、当時助手として指導にあたっていた斎村五郎も次のように語っている。斎村が助手として指導していたのは明治四十四年から大正五年までのことだから、先生の在校していた時期と重なる。

　武徳会本部も、この頃五、六年が最も内容も充実していたし稽古も隆盛だったと思う。教授の筆頭内藤先生は五十前後で技術の最も円熟された時代であり、その豪壮な剣風と古武士的な人格は何にしても当代第一の剣豪だった。（中略）助教、助手、として中野、持田、大島、古賀、森末、宮崎諸氏と余が末席を汚していた。この連中は何れも二十代で自分の修行盛りだからはち切れるような元気だった。講習生は百五、六十名いたが、全国の強豪ぞろいだから実に物すごい猛稽古だった。今日全国的には稽古が盛んになってきているが、あの時代のような内容の充実した猛烈な稽古は到底何処でも見られない（斎村龍雄編『斎村五郎の遺稿と想い出』（昭和四十七年））。

指導する側が、どこでもみられない猛烈な稽古だったというくらいなのだから、学生からすれば「死の装束」で臨まざるを得ないような稽古だったはずだ。

後年、先生は新聞記者から武専時代の稽古について聞かれものすごかったですよ。特に私は北海道時代、遊びの剣道をやっていたでしょう。だから、武専のけいこはこたえたなんてもんじゃあなかった。毎日、昼と夜の食事が、全くノドを通らない、それくらいくたくたになりました。あんまり辛いんで、保証人の先生のところへ、三度退学届けをあずけに行きました。その都度、諭されて思いとどまったんです。三度目の時、よし、これからは死んだ気になって、血をはくまで剣道に打ち込んでやろうーと決心したもんでした（静岡新聞昭和五十四年一月八日朝刊）。

とこたえている。

㈢「特集武道専門学校」『剣道日本』（昭和五十六年十二月号）

㈣ 宮崎茂三郎は明治二十五年生まれだから先生の一つ年上だ。明治四十五年に武術教員養成所講習科を卒業するとそのまま助手として残っていたから、先生にとって宮崎は武専の先生ということになるが、一歳しか違わないしお互い相当熱くなって組み打ちをしていたに違いない。

志賀矩（名前の読みが分からない。ただし、と読むか）という人のことも先生から聞いたことがある。この人は明治十四年生まれだから先生より一回り年上になる。鹿児島出身で、明治四十五年に武術教員養成所の講習科を出て後に大阪府警の剣道師範になったという。

先生が武専の学生だった頃は、宮崎同様、助手として武専にいたのだろう。彼とはよく突き合いしたものだよという話を先生から聞いたことがあるが、そのとき、言外に、突き合いでは負けなかったという意味が込められているように感じた。

㈤ 当時は気を失ったときなどに仁丹（さまざまな生薬を配合して丸めた口中清涼剤）を失神者の口に含ませたらしい。先生もそのとき含ませてもらったが、目を覚ましたときには仁丹がそのまま舌の上に残っていたという。この逸話を吉林時政さんが『剣道日本』（平成十七年九月号）の中に書いている。

六　武専スキー部

武専といえば一年中稽古に明け暮れていたと思われがちだが、実は学校だから日曜日と祝祭日は休みだし、春休みは四月一日から十日、夏休みは七月十一日から九月十日、冬休みは十二月二十五日から翌年の一月七日までといったように、長期休暇も他の学校同様設けられていたのである。これを知ると、抱いている武専のイメージとはだいぶ違うな、と多くの人が感じることだろう。

では、午後三時に稽古が終わったとして放課後はどう過ごしていたのだろうか、学校が休業となる日曜日などはどう過ごしていたのだろうか、夏休みや冬休みといった長期休暇の間はどう過ごしていたのかという思いも湧いてくる。

その答えのような話がある。武専教授近藤知善（武専一期生）の教え子が師の思い出としてこんなことを記しているのだ。[註㈠]

私が三年のときである。先生が今晩僕の家に来いといわれ、何かと案じながら行くと、いきなり武専にスキー部を創れといわれ、驚いた。それは冗談でしょう、紋服に袴の生活、剣道を修行している身として、どうにも納得いかないので断ったが聞かれない。やって見ないで文句をいうな、ということで一、二年の者に話したら十名位の同志が出来た。先生に申し上げたら、それみろと叱られ、早速準備にかかった。指導者は先生で、毎日曜日は、鞍馬山、愛宕山、比叡山、貴船山、伊吹山といった具合に連れていかれた。

これは学校公認の部活動ということではないと思うがちょっと驚きである。武専でそんな活動が行われたこともあったのだ。

こういったことが許されるような自由な校風というものが武専には伝統的にあったようで、昭和十九年という戦争末期に入学した村山慶佑範士八段でさえ「官立のものではない、人間味のある自由な校風に接することができた」と語っている。[註二]

酒を飲む機会もそれなりにあったようで、卒業生の思い出話などを読むと大学の運動部の学生にかなり近い生活ぶりといえるだろう。

そして、血気盛んな年頃であり、何といっても日々剣道で鍛えている若者たちだから、ときには外部の者と派手な立ち回りをしたこともあったらしい。

先生が最上級生だった大正四年のことだが十一月に大正天皇即位式の祝賀行列が行われた。武専の学生たちも行列に参加したが、大津からやってきた青年団百人と円山公園で乱闘事件を起こしている。先生もこの中にいたはずで、晩年の先生からは想像もつかないが、なかなかバンカラな青春時代を過ごしていたとみえる。[註三]

とはいっても、まずは稽古ありきで、武専の放課後に行われる講習科の稽古に参加したり、それだけではなく市内の道場に道具を担いで稽古に出かけたりしていた者が大半だったという。

夏休みとか冬休みの長期休業中も同様で、帰省する途中に各地の道場に立ち寄って稽古をつけてもらうというようなことをしていたようだ。武専第二十九回卒業の範士八段武藤英雄は座談会の中で

東京です。一日中三回くらいやりました。まず朝稽古に講談社の野間道場へ行き、昼はどこかの中学だった。そして夜は修道学院へ行ったんですが、もう、羽目板に突きとばされましたね。持田先生がおられて、よく来たというわけで、ずいぶんしっかりと、可愛がられました。防具の胴に武専の一年なら一、二年なら二とエナメルで書いていましたから、すぐわかるんです。

と語っている。[註㈣]

先生も多くの学生がそうであるように各地の道場に立ち寄りながらの、要するに武者修行しながらの帰郷だっただろう。ただ、先生は郷里が北海道だから長期休暇だからといっても帰らず、仲間の実家を訪ねるような形で各地の道場を巡っていたのかもしれない。

【註】

㈠　武道専門学校同窓会編『大日本武徳会武道専門学校史』(昭和五十九年)

㈡　「特集武道専門学校」『剣道日本』(昭和五十六年十二月号)には座談会における村山の言葉だけでなく

武専は文科教授に京都帝大の教授をずらりとそろえたことからもわかるように、自由の精神を尊ぶ校風が底流にあった。武道専門学校という校名から連想されがちなところではない。のちのことになるが、あの戦時中も他の高専にくらべればよほど進歩的な授業が行われた。

という一節も記されている。武専の教壇に立った京都帝大の教授達については「四カリキュラムに英語」でも触れた。

(三) この事件については「特集武道専門学校」『剣道日本』（昭和五十六年十二月号）に出ているが、詳細については分からない。京都市立図書館で当時の新聞に目を通せば事件のことが見つかるかもしれないが、コロナ禍で調査できなかった。

(四) 武道専門学校同窓会編『大日本武徳会武道専門学校史』（昭和五十九年）

七　弓の稽古

どういうきっかけからその話になったのか覚えていないが、あるとき、先生が、専門家はそんなことをひけらかしたりはしないが、嗜みとして自分の専門以外にも得意なものを持っているものだよという話をしてくれたことがある。そして、弓を引くような動作をしながら「これを引かせたら負けないよ。もっとも、弓に熱中し過ぎたものだから稽古がちょっと遅れてしまった」と、ちょっと笑みを浮かべながら言葉を続けたのだ。

そもそもいつどこで弓を学んだのか。高校時代から先生の指導を受けていた村木昌弘さん（教士七段）は先生から、武専時代竹刀は弓師に頼んで作ってもらっていたという話を聞いたことがあるという。京都に武道具屋が何軒もあったはずだし、竹刀づくりを専門にする職人もいたと思うが、にもかかわらず弓を作る職人に竹刀を頼んだというのは、竹刀へのこだわりなのかそれとも別の理由があったのか今となっては分からない。

それはともかく、村木さんが先生から聞いたという話から、あれこれ想像してみると、弓道への取り組みはやはり武専時代に始まったのだろうという気がする。それは恐らく師である内藤高治の影響だろう。

というのは、内藤の父親は水戸藩弓術師範だったから、内藤自身も幼少の頃から弓を学び相当な腕前だったはずで、先生は内藤から弓の話を聞いて興味を持ったのではないかと思うからだ。

先生は剣道の稽古が遅れたとは言ったが、剣道以外にも熱心に打ち込んだことが、その後の剣道人生に役立ったということを実感されていたに違いない。そんな思いが「弓に熱中し過ぎたものだから稽古がちょっと遅れてしまった」と、笑みを浮かべながら口にした言葉の向こうにはあったのではないかという気がする。

第三章　鹿児島・淡路島（大正六年〜大正八年）

一　鹿児島へ

大正五年三月、先生は武専を卒業するが直ぐには就職していない。そのまま京都に留まり翌年の三月まで武徳殿での稽古を続けている。先生は『浜剣連だより剣友』にこう記す。

> 武専三年の修行が無事終わった。大正五年三月に剣道三段が許されて、目出たく卒業したのであるが、同期生十六名中七名は四ヶ月后まで三段を許されなかった。
>
> 私は思わしい就職口がないので悠々武徳殿の稽古を続けて同年十二月剣道四段を許される。
>
> 翌六年四月内藤先生のお世話で鹿児島県立第一鹿児島中学校剣道教授、同県師範学校教授として堂々剣道界に旗あげをしたのである。

武専の卒業生はそのほとんどが教職に進む。昭和二年時点における武専卒業生の現況が記された資料を見ると、十七名の同級生（先生は「浜剣連だより剣友」に同級生を十六名と書いているが、卒業生名簿によれば十七名である）のうち、亡くなった者二名を除く十五名中十名が各地で教職についている。[註㈠] 残りの五名についても、一人を除けば学校という場ではないが皆剣道指導者になっている。それを考えに入れると「同期生十六名中七名は四ヶ月后まで三段を許されなかった」中、三段を許された先生に就職口がなかったとは思えない。なかったのは武専にとって「思わしい就職口がない」つまり、永峰晃という卒業生を送り込むのにより相応しいところがなかったということなのだと思う。

そのことを承知しているからこそ「悠々武徳殿の稽古を続けて」いたのだろう。それは、卒業して一年後に鹿児島へ赴任していることからもうかがえる。今日でも鹿児島は剽悍な薩摩隼人の血が脈々として流れる尚武の地として知られている。その地に剣道指導者として派遣するのだから生半可な人間を送り込めるはずがない。

武専の主任教授内藤高治がそのときのために温存していたエースが先生だったのだろう。

⑪武専時代の先生

【註】

㈠　武道専門学校『大日本武徳会武道専門学校一覧』（昭和二年）は、学校要覧（各学校が、教育計画や経営計画の概要等をわかりやすくまとめた小冊子で、年度ごとに作成され、保管が定められている）のようなもので、卒業生（第十三回卒業生まで）の現況が掲載されている。

　この『大日本武徳会武道専門学校一覧』は国立国会図書館デジタルコレク

ションの中にあり、インターネット上で読むことができる。

※ 写真⑪の撮影年月日は不明だが、京都東丸太町の「松本写真館」で撮影されていることなどから武専時代と判断した。鍛え上げた体であることが写真から見て取れる。先生の孫、岩井芳文さん所蔵。

二 「腕があれば負けないよ」

先生が赴任した鹿児島県立第一鹿児島中学校は、現在の鹿児島県立鶴丸高等学校である。鶴丸高校といえば、鹿児島県の公立高校では偏差値トップの進学校である。鹿児島師範学校は鹿児島大学の教育学部の前身にあたる。指導していたのはこれらの学校だけではない。鹿児島県巡査教習所、武徳会鹿児島支部でも指導することになっていた。

鹿児島は尚武の地である。そんな剣道のメッカのようなところに、若いよそ者の剣道家が乗り込んでくるのであるから、学生たちも、地元の剣道家たちも手ぐすね引いて先生を待ち構えていたことは想像に難くない。叩きのめしてやろうというのは当然のことだ。そういう相手との稽古は凄まじいものだったはずである。

そもそも当時の稽古は、打った、打たれたで決着がつくというようなものではない。激しく打ち合い突き合うのはもちろんの事、足払い、足がらみあり、組み討ちありの稽古だ。そして、息が上がり参ったとどちらかが頭を下げたときに決着がつくというものだ。

赴任早々からこんな稽古が次から次と続いたはずだが、剣道の専門家として来ている以上負けるわけにはいかない。覚悟の上とはいえずいぶん苦労されたことだと思う。

あるとき、先生の後任として興誠高校で剣道部の指導にあたった黒川哲司先生（教士七段）が、鹿児島時代のことを尋ねると「腕（剣道の実力）があれば負けないよ」と先生は即座に答えたという。

その腕と人物を見込んで、内藤高治が鹿児島に送り込んだ人物が先生だったということだ。

その頃の先生について何か分からないかと、鹿児島県立図書館にお願いをして調べてもらったのだが、先生に関する資料は見つからないとのことだった。

その後、当時の先生を知る二人が、昭和五十五年に第一回永峰杯争奪剣道大会が開催されたとき、こんな祝辞を寄せていることを知った[註㈠]。


　永峰先生と私との宿縁は大正五年に鹿児島の重岡昇範士の御尊父栄之丞先生が亡くなられ其後任者として京都武道専門学校を卒業して間もない永峰先生が師範学校に赴任されてこられたからに始まる。早くも半世紀以前で、丁度六十年も以前のことである。走馬灯の様に色々の思い出が浮かんで来る。私の最も敬慕する先生である。

　八十七年の先生の生涯は剣道一筋で剣を通して人間形成された先生の徳を慕い先生を顕彰する大会は日本の将来を背負う少年剣士諸君に大いなる希望と責任をもたらす事と信ずる。

　古事記を撰録した「太安萬侶」はその序文に「古を稽えて風猷既に頽れたるを糺し、今に照して典教の絶えむとするを補う」と言って居る。

永峰先生は明治、大正、昭和を通して正に日本剣道界の至宝である。

剣道範士八段玉利嘉章

武道専門学校第三回卒業生の永峰晃先生は卒業生現存者中の元老の第一人者であって、同窓生一同ひとしく畏敬する方であります。

この度、永峰杯が生まれましたことは、私共にとっても一大慶事であり広く剣道振興のためにも最時宜に即した意義深いことであります。

先生と私とは因縁がございまして、大正五年に亡父栄之丞病死の後任として武専卒業と同時に鹿児島師範に赴任された由であります。その縁で私は武専在学時代から今日まで格別のお世話になっています。

京都大会の五月五日の恒例の三州大会には毎年お招きして先生の情熱あふるゝ激励を頂いています。

先生の言動は老いて益々意気旺盛でその気魄は剣道に一貫された闘魂を肌に感じます。まさに古武士的風格で現代剣道家の範とするに足るものと信じております。

このような先生の人格気風こそ現代青少年に最も緊要なことは申すまでもありません。

この価値ある記念賞を永く保存されて青少年の育成に剣道を通じて先生の人格まで伝えて頂き

ますことを念ずる次第であります。

剣道範士八段重岡昇

先生が鹿児島に赴任された当時、玉利範士は十四歳、重岡範士は十歳の少年ではあるが、先生から稽古をつけてもらったことがあったのだろう。その頃の先生に対する記憶が六十年後にも鮮明に残っていることが祝辞から読み取れるように思う。

ただ、先生が鹿児島にいたのは一年間だけで、翌年には淡路島の兵庫県立洲本中学（現・兵庫県立洲本高校）の剣道教授として赴任する。なぜわずか一年で洲本中学に転任したのかについては分からない。また、洲本中学時代のことも分からなかった。地元の図書館に調べてもらったり同窓会に問い合わせてみたりしたが、先生に関する情報は得られなかった。[註㈡] しかし、洲本でも鹿児島同様、激しい稽古に明け暮れていたに違いない。

⑫第１回大会プログラム

【註】

㈠　玉利、重岡の祝辞は、昭和五十五年二月十七日に浜松市武道館で行われた「第一回永峰杯争奪剣道大会」のプログラムに掲載されている。

玉利は早稲田大学、重岡は武専の卒業生だ。ともに範士九段で（プログラム掲載時は八段）剣道界の重鎮だった者たちである。二人の祝辞に登場する重岡栄之丞は先生の前任者で、武徳会の本部で修行した実力者だった。

斎村五郎が持田盛二範士十段について語っている中に重岡が登場するのだが、それなどを読むと重岡がどれほどの実力者だったのかよく分かる。

> 持田さんは天才であり、その上努力家だったので、いわゆる鬼に金棒、しかし、いかなる試合でも慎重ですから、ほとんどつかいそこないということがありませんでした。
>
> 私の知っているかぎりでは、ただ一度、京都大会で鹿児島の重岡先生に敗北されたことがあるだけです。重岡先生は私共の大先輩で我々と組み合わせられる方ではないのですが、当時は今日のように資格がやかましくなく、私も持田さんの前年に重岡先生と組まされて敗れていました（「持田さんと私」『斎村五郎の遺稿と想い出』（昭和四十七年））。

これほどの人の後任として鹿児島に赴任したわけだから、本文でも触れたが、いろいろな面で大変な苦労を先生は鹿児島でされたことだと思う。

(二) 洲本中学校時代の先生については洲本高校の同窓会に問い合わせてみたり『兵庫県立洲本中学校五十年誌』などにも目を通してみたが、在職期間が短かったせいか情報を得られなかった。

第四章　北海道その二（大正八年～大正十二年）

一　やまべ寿司

僕は本稿に取り組むまで、先生は鹿児島や洲本で教員生活を送った後に上京し、内閣印刷局に勤務しながら、中山博道の有信館道場、高野佐三郎の明信館道場、講談社の野間道場などで稽古三昧の日々を送っていたとばかり思っていた。それは僕だけではないはずだと思う。ところが実際はそうではなく、大正八年（一九一九）に先生は北海道に戻っていたのである。

それを知ったのは、去年の夏旭川から戻り、その報告を兼ねて先生の末娘である質子さんを訪ねたときのことだった。いろいろな話をうかがっているうちに、質子さんから、一番上の兄と姉は北海道のシントクとかいう所で生まれたらしいという話が出たのだ。

僕は洲本中学の後は東京にいたとばかり思っていたから驚いた。シントクという北海道の地名を聞くのも初めてだから、どの辺りにあるのかもどんな漢字をあてるのかもわからない。家に戻り調べてみると、大雑把な言い方だが北海道のほぼ真ん中辺りに位置する町だった。新得と書く。東京都の半分くらいの面積で、その九割が森林地帯である。町のホームページなどによると「四季折々に美しい姿を見せる東大雪の山々と日高山脈の山懐に抱かれた豊かな自然あふれる」人口六千人ほどの町だというが、特急が停車するくらいの駅だから昔から拠点となっている町なのだろう。

それにしてもなぜだろう。教職に就いたばかりである。しかも、生まれ育った旭川ではなく縁もゆかりもないであろう新得だ。稽古が十分にできる場所だとも思えない。先生はそんなところにどうして行ったのだろうか、新得でいったい何をしていたのだろうか、と疑問ばかりが浮かぶ。

　そこで、何か手掛かりが得られないかと新得町図書館にお願いをして調べてもらった。すると、図書館から、蔵書の中からは永峰晃の名前は見いだせなかったが、大正時代に新得駅前に「永峰料理店」という店があり、新得の郷土名物のやまべ（山女魚のこと）寿司を最初に作った店として知られているという返事をもらった。次いでそのことが記されている資料が送られてきた。そこには次のようにあった[註(一)]。

> 明治末期から大正の初期にかけての新得市街図を見ると、駅前通り周辺に新妻待合、藤沢食堂、永峰料理店、鈴木料理店などが軒を並べていた。永峰光則は日露戦争に従軍、復員後新得に居を定め、釣り好きからヒントを得て、国鉄新得駅の構内立売弁当にやまべ寿司を考案したと伝えられている。
>
> 　原料の「やまべ」は、当時魚の宝庫であった佐幌川を中心とする大小河川から釣られたものを、町内外に呼び掛けて買い上げし、塩貯蔵していた。
>
> 　大正初期、少年時代を市街地区に過ごした人々にとっては、川で釣ったヤマベを、永峰待合（料理店）に持参して買ってもらったことが語り草となっている。

その後インターネットで検索したところ、新得駅のやまべ寿司は、日露戦争から復員後、新得駅近くで料理屋を始めた永峰光則という人物が考案、駅弁として販売し人気を集めたものだということが記されたブログがあるのを見つけた。これはきっと先生と関係のある人物だとは思ったが、その段階ではそれ以上のことは分からなかった。

それからしばらくして質子さんから利三郎や先生が戸主となっている戸籍謄本の写しを見せてもらう機会があったのだがそこに光則の名前が載っていたのである。光則は利三郎の弟、つまりは先生の叔父にあたる人物だったのだ。

そして図書館からの追伸で『北海道人名辞書』[註㈡]に先生の項があり、そこに剣道家としての経歴の後に「帰北現在地新得に於て商業駅前待合竝に諸物品販売を営み」と記されていることを知った。何と先生は新得駅前で待合[註㈢]を経営し、叔父の作る「やまべ寿司」弁当を旅客に売っていたのだ。

【註】

㈠『新得町史』平成二年（該当箇所八六四頁のコピー）

㈡ 金子信尚『北海道人名辞書』（大正十二年）

㈢ 列車を待つための場所が待合（待合所）で、写真⑮を見ると弁当や土産物を販売するだけでなく、先生の店は食事をとることができたようだ。もしかしたら旅館を兼ねていたかもしれない。

二　上川尚武館と直心影流水下（山下）関助

それにしても、せっかく剣道教師という仕事に就いたのにわずか数年で辞め、なぜ北海道に戻ったのだろうか。なぜ剣道指導者ではなく「待合竝に諸物品販売を営」む仕事を始めたのだろうか。

もちろんこのことに関する資料や言い伝えは何もないが、思いつくのは永峰家の長男である先生に、国元から、何としても戻れという催促が大正七年頃から繰り返しあったのではないかということである。長男というものが今とは比べられないくらいに大きな存在であった時代であることを考えると、それに抗しきれなかったということもあり得る話である。

とはいえ、中学校の剣道教師という仕事を辞めるということの決心が簡単につくはずがない。それに先生はその頃結婚間近だった。そんなとき先生に持ち込まれたのが、先生の師である大河内三千太郎の後継者にならないかという話だったのではないだろうか。

三千太郎は大正七年十一月に亡くなるが後継ぎに恵まれなかった。だから、亡くなったとき、道場をどうするかが門人の間で話し合われ、後継者候補の一人に先生の名前が挙げられたのではないかと思う。これは全くの想像ではない。三千太郎が亡くなったとき、上川尚武館を継がないかという話があったということを先生から聞いたことがあるからだ。三千太郎の弟子であり、武専を卒業した若い専門家である。申し分のない候補者だ。そしてそのときに先生の名を挙げたのは坂東幸太郎でなかったか。

彼は三千太郎門下の四天王の一人として知られ、三千太郎が亡くなった当時、旭川の区会議員を務める地元の名士であり実力者だったから、幸太郎あたりが後継者問題について積極的に発言していたということは十分に考えられることだ。

坂東は、早い段階で先生に道場を継がないかと声をかけていたのではないかという気がする。先生と坂東の関係を考えればその可能性は十分あり得るだろう。

そしてもしそうだとすれば、その話には母校上川中学校での剣道教師を兼ねながらどうかというようなこともあったのではないだろうか。

母校の剣道教師を務め併せて上川尚武館を継ぐというのは先生にとって願ってもないような話である。そしてかなりその方向で話が進んでいたのではないかと思う。

しかし、結局はそういう風に事は運ばなかった。上川尚武館は先生ではなく、水下（山下）関助という人物が引き継ぐことになったのである。母校での剣道教師の話もなかった。

ところで尚武館を引き継いだ関助だが、この人のことは近代剣道史についてよほど詳しい人でない限りまず聞いたことがない人だろうと思うが、天覧の兜割りでも知られた、幕末から明治にかけての著名な剣客であった榊原鍵吉の高弟だった人である。従って腕も相当立った人らしい[註(一)]。

天覧の兜割りというのは明治十九年、伏見宮貞愛親王邸に行幸された明治天皇に供した鉢試し（兜割り）のことだ[註(二)]。

このとき兜割りに挑んだのは、榊原鍵吉（直心影流）、逸見宗助（立身流）、上田馬之助（鏡新明智流）の三人で、いずれも当代の一流の剣客である。逸見と上田は失敗するが、榊原は切口三寸五分（約十一センチ）、深さ五分（約一・五センチ）の切り込みに成功し称賛を浴びた。

このとき榊原に随行していたのが関助だった。ただ随行していたわけではない。榊原から不首尾に終わったら刺し違えて死のうと言われていたという。[註(三)] これは、どれほど榊原に信頼されていたか、あるいは関助がどんな人物であるかを物語る逸話だろう。

もしこの人が東京や京都で過ごしていたら、世に広く知られる剣道家になっていたに違いないが、関助は榊原が亡くなると東京を離れ地方で指導をしていたようだ。

そして、明治四十年（一九〇七）、榊原門下の先輩大河内三千太郎を頼って旭川にやって来ると三千太郎の代稽古を務め、上川尚武館や上川中学校、旭川の第七師団などで剣道を指導している。ならば、中学や上川尚武館でこの関助に先生は稽古をつけてもらっていたはずだが、先生からはこの人についての話を聞いたことがない。

それはともかく、そういう人物が三千太郎の身近にいたとすれば、関助に道場を継いでもらおうとなるのは自然の流れだという気もする。[註(四)]

いずれにしても、先生が道場を継ぐ話は立ち消えとなったが、その頃にはすでに洲本中学の方に年度いっぱいで退職したい旨申し出ていたはずだから、立ち消えになったからといって元の鞘に収まることはできない。大変な事態に陥ったわけだが、実家の方にも帰郷を告げていただろうから北海道に戻るしかない。といって旭川には戻れなかった、いや、上川尚武館のことがあったとすれば戻りたくなかったのではないかと思う。そのとき救いの手を差し伸べてくれたのが新得にいた叔父の光則ではなかったかというのが僕の想像である。

ともあれ、大正八年、新妻を伴って北海道に先生は戻った。

【註】

(一) 関助については『月刊剣道日本』一九九三年五月号、六月号の「聞き書き剣道史　榊原鍵吉高弟直心影流山下関助の波乱万丈をたどる話」で、関助の次男水下信業（範士七段）が、父親からの直話としていろいろ紹介しておりこれを参考にした。

関助は慶応元年（一八六五）に山梨県で生まれ、明治十年頃に榊原の内弟子となり、榊原が明治二十七年に亡くなるまでそばに仕えていたという。

相当な腕前であったことは石垣安造『撃剱会始末』（平成十二年）に、関助が、榊原鍵吉没後直心影流第十五代となったとされる（これを認めない説もある）山田次郎吉の先輩であり、腕前も次郎吉よりもはるかに優れていたという話が紹介されていることからもうかがえる。

水下によれば、北海道庁長官で後に武専校長も務めた西久保弘道とは、榊原鍵吉の道場でともに稽古に励んだ仲であり、その弘道が武専の校長になったとき、武専教授にならないか、と誘われたことがあるというからやはり一流の剣術家だったに違いない。

ただ、関助は、武徳会とは距離を置いていたようで武徳会には加わっていない。そんなこともあり剣道界で広く知られる人物にはならなかったのだろう。

ちなみに内藤高治は、明治十六年四月、二十二歳のときに上京し、一年間榊原鍵吉の道場で稽古に励んでいるから、当時内弟子として道場にいた関助をよく知っていたはずである。

㈡　鉢試し（兜割り）は明治十九年十一月十日東京府麹町区紀尾井町（千代田区紀尾井町）の伏見宮貞愛親王邸（邸跡は現在ホテルニューオータニになっている）で行われた。

㈢　関助が鍵吉の鉢試し（兜割り）に随行したことは『月刊剣道日本』一九九三年五月号「聞き書き剣道史　榊原鍵吉高弟直心影流山下関助の波乱万丈をたどる話」で、関助の次男水下信業（範士七段）が、父親からの直話として紹介している。

㈣　上川尚武館を引き継いだ関助だが、大正十年に旭川にあった孤児院が閉鎖され、行き場所が無くなった十数名の孤児を上川尚武館に引き取っている。そしてその年、地元有志の賛同を得て旭川育児院を設立する。その設立趣意書に「孤児に於いては、其生命を託すべき者なき悲惨の境界に彷徨しある次第に付、不肖、其情を黙視するに忍びず」設立を思い立ったとある。大河内三千太郎もそうだが関助も単なる剣道家ではないことがよく分かる。

　上川尚武館においていつまで稽古が行われていたのか良く分からないが、育児院が別の場所に新築され移転した大正十二年頃に道場は閉鎖されたようだ。彼が設立した育児院は、百年近くたった今も旭川にあり活動を続けている。

三　結婚

前節で先生が新妻を伴って北海道に戻ったことに触れたが、先生が結婚したのは大正八年（一九一

⑬結婚写真

九）のことだ。そのとき二人で写した結婚写真⑬がある。[註(一)] 新婦の貞子さんは角隠しを付け黒引き振袖姿で椅子に腰かけ、先生はその傍らに黒紋付羽織袴姿で立っている。

　このとき新婦は十五歳。先生は二十七歳だ。新婦がいかにも若い。今とは時代が違うから決して珍しいというわけではないと思うが、いったいどういうなれ初めだったのか気になるところである。

　娘の質子さんによると、二人は京都時代に知り合ったらしいとのことだった。とすると、武専時代ということになるから大正二年から大正五年の間である。先生が二十一歳から二十四歳の頃だ。血反吐を吐くような稽古に明け暮れる毎日であっても若者のことである。何かの機会に知り合いになってということも考えられないわけではない。

　きっとどこかで、などということを勝手に想像していたのだが、それからしばらくたった頃、京都市内の女学校生徒が薙刀の稽古を武徳殿道場でしていたことを知った[註(二)]。

先生の奥さんは京都の高等女学校を卒業している。これはひょっとするとドラマのような出会いが京都の町のどこかであったのではないか、という空想がますます頭の中で膨らんだが、冷静に考えてみれば、年が一回り違うのだから先生が二十一歳のときには九歳、二十四歳のときだったとしても十二歳である。ドラマのような出会いはちょっと考えられない。

ではどうしてなどと考えていたのだが、質子さんが、姉なら知っているかもしれないと、神奈川に住む碩子《ひろこ》さんに電話をかけて聞いてくれた。するとやはり碩子さんがそのいきさつを知っていた。

⑭永峰一家と岩井夫妻

先生は、大正五年に武専を卒業した後、思うような就職口がなかったということで一年間京都に残り稽古を続けていたわけだが、碩子さんによると、この間下宿していた（武専時代は寮生活を送っていた）先の娘さんが貞子さんだったというのだ。そして貞子さんの父親であり大家である岩井義雄に先生は見込まれ、ぜひうちの娘をということになったというのである。

先生の奥さんは岩井家の一人娘である。その娘を嫁にというのは義雄が先生をよほど気に入っていたからだが、岩井家の先祖は鶴田《たづた》藩[註㈢]の武士で、義雄の祖父である岩井兵勝は一刀流の遣い手であり藩の剣術師範[註㈣]だったというから、そういうこともあってか武専卒業生である先生のことをより好ましく感じたに違いない。

それはともかく、先生が北海道に戻るということになって、その機会に高等女学校を卒業したばかりの貞子さんと式を挙げたのだろう。このとき貞子さんは十五歳である。親元を離れ北海道に渡ることは随分心細かったことだろう。

【註】

㈠ 質子さんによると、広沢にあった戦前の先生の自宅は昭和十九年の浜松大空襲で焼失したため、アルバムなどもすべて焼けてしまい何も残っていないとのことだが、先生の奥さんの実家である岩井家（岩井家は先生の長男義宗が継いでいる）には結婚したときの記念写真を始め、多くの写真が残されている。

㈡ 京都市学校歴史博物館を訪れ、館内で案内をしていたボランティアと思われる年配の女性からいろいろ話を聞いていたのだが、武徳殿の話になったとき、母から、女学校に通っていた頃薙刀の稽古を武徳殿でしていたと聞いたことがあると言われ少し驚いた。

㈢ 鶴田藩というのは島根の浜田藩のことだ。以下は鶴田藩西御殿跡（津山市桑下）にある説明板からの引用（先生の孫、岩井芳文さんが撮影したものを使わせていただいた）。ここに浜田藩から鶴田藩へとなった顛末が詳しく記されている。

第二次幕長戦争に際して、石見国（島根県）浜田藩（松平右近将監家石高六万一千石）は幕府軍の先鋒部隊の一つとして石州口の守備についたが、石州口の戦いにおいては、村田蔵六（のちの大村益次郎）に指揮された長州軍に敗北し、慶応二年（一八六六）七月、自ら浜田城に火を放って藩主以下士卒は杵築に、続いて松江（共に島根県）に退いた。幕長戦争は、朝廷からの勅命による兵事の停止というかたちで終結したが、その後も石見国の浜田藩領は長州に占領されたままであったので、浜田藩は藩を挙げて飛領地であった久米北条郡の十七ケ村（石高八千三百余石）に移動することとなった。

藩主松平武聰《たけあきら》は、慶応三年（一八六七）三月二十六日、里公文中村の大庄屋福山元太郎邸に入り、藩名を「鶴《たず》田《た》藩」と改めた。そして、士卒や家族はそれぞれ近在の民家に寄寓し、慣れない土地での生活を行うこととなった。これは、別の観点からみれば、作州移住後は六万一千石の大名が八千三百余石で生活するという、経済的にみても極めて苦しい立場となったのである。

その後、人心も落着きを見せ、鶴田藩の統治機構が次第に整うにつれ、移住後福山邸に起居していた藩主や家族についても新しい居所が検討されるに至った。当初候補地となったのは、久米北条郡下打穴村内の鬼山であったが、慶応四年六月以降鶴田藩領となっていた同郡桑下村内のこの地に建設されることとなった。

鶴田藩主の居館は、この西御殿の地に建築され、藩主がここに移ったのは年号も改まった明治四年（一八七一）の六月であった。しかしながら同月の版籍奉還、翌七月の十四日には廃藩置県の詔書が出され、松平武聰は藩知事の職を解かれて東京へ召されることとなった。

武聰の東京への出発は同年八月二十三日であり、藩主がここへ起居したのはわずか足掛け三ケ月の短期間であった。

㈣ 須藤喜六『浜田藩雑記』（昭和五十五年）私家版には、鶴田藩と改めた後の藩士の生活について書かれている。その中に藩の剣術師範六名の名が出ているが、そこに「一刀流師範岩井兵勝」とある。先生の奥さんの曽祖父に当たる人物だ。

※ 写真⑬は岩井芳文さん所蔵。

※ 写真⑭は昭和六年（先生が浜工に赴任した年）に広沢の自宅玄関先で撮影されたもの。岩井芳文さん所蔵。

第五章　東京（大正十三年〜昭和五年）

一　永峰待合所と北海道庁剣道教師

前述のように先生は北海道に戻った後、「新得町に於て商業（駅前待合竝に諸物品販売）」を営んでいた。

『新得町史』によると、新得の開拓がはじまったのは明治三十二年のことで、開拓に入った者が「昼なお暗く生い茂るナラ、カシワニレなどの巨木と、身の丈に余るイバラ、スゲなどの下草で、この想像を超える大自然にしばしぼう然としたという」ような状態だった。しかし、明治四十年に鉄道が開通し駅ができるとあっという間に開発が進む。さらに大正三年に第一次世界大戦が勃発すると、雑穀や木材の主産地であった新得も戦争特需で加速度的に発展していった。その頃の新得駅周辺の様子が町史に次のように記されている。

> この頃の輸送はすべて馬車によるものであり、新得駅へ雑穀を運ぶ馬車の数は、多いときで一日数百頭に及ぶこともあった。このため、これら農家の人たちを当て込んで、新得坂下に飲食店が並びはじめ、村形市街（元町通り）周辺には雑穀店、鍛冶屋、馬車屋、宿屋、蹄鉄所、雑貨店、飲み屋などが軒を連ねて空前のにぎわいをみせた。

⑮永峰待合所

活気のある町の駅前に、叔父光則が経営する永峰料理店や、先生が営む永峰待合所はあったのだから大いに繁盛していたはずだ。写真⑮は、新得駅のすぐ近くにあった大正十年頃と思われる永峰待合所の写真だが、二階建ての大きな建物で、商売が繁盛していた様子がうかがえよう。光則や先生は成功者だった。妻と二人の子供もいた。順風満帆の暮らしだろう。

ところが大正十三年、その生活を捨ててまでもう一度剣道の修行に取り組みたいと上京するのである。そういう思いに先生を駆り立てたものは何だったのだろうか。

ここからは想像である。

前出の『北海道人名辞書』には「大正十二年一月北海道庁剣道教師を嘱託され以て今日に及べり」とある。[註(一)]これが札幌の道庁に赴いて指導にあたったものなのか、それとも新得町での指導なのか、あるいは北海道各地を巡回しながら指導にあたったものなのか分からないが、いずれにしてもこのことが、上京してもう一度修行をという思いを掻き

⑯貞子と長男義宗

立てた大きなきっかけになったのではないかと思う。

大正十三年、先生は繁盛していた永峰待合所も土地も売り払い、背水の陣を敷いて上京する。[註(二)]

【註】

(一) 先生と北海道における剣道とのかかわりを示す資料はほとんどなく『北海道剣道史』にも『旭川剣道史』にも先生は登場しない。管見の限りだが、金子信尚『北海道人名辞書』北海道民論社（大正十二年）に記載されているものしか目にしたことはない。

(二) 先生が上京に際して土地を処分していたことについては、永峰料理店について調べている新得町郷土研究会の秋山秀敏さんから、土地台帳の閲覧によって確認済みであることをご教示いただいた。

先生をして上京へ駆り立てたものは剣道修行に打ち込みたいという強い思いであることは確かだと思うが、加えて奥さんにとって北海道での暮らしが大変だったことも関係していたようだ。

前述したように、貞子さんは高等女学校を卒業したばかりの、わずか十五歳で知る人も全くいない北海道に嫁いできたわけだから随分心細かったに違いない。京都とは比べものにならない冬の寒さもこたえたことだろう。すぐ二人の子供に恵まれ、長男の義宗さんと写る写真をみると屈託のない笑顔を浮かべているが、その笑顔とは裏腹に、二人の子供の面倒をみながら、旅人相手に駅弁や土産物を売るといったそれまで経験したことのない仕事をする毎日はなかなか大変だったようだ。

そんな話を、先生の次男、致さんの奥さんである時子さんは貞子さんから聞いたことがあったという。北海道を離れたいという思いを先生にぶつけたこともあったのだろう。もしかしたらそんなことも上京には関係していたかもしれない。

※　写真⑮⑯は岩井芳文さん所蔵。

二　斎村五郎と坂東幸太郎

いつ頃から上京することを考えていたのか分からないが、それまで東京とは無縁の生活を送ってきた先生である。就職口を探すこともままならなかったはずだ。加えて上京前年の大正十二年九月には関東大震災が起きている。

そんな中、先生の就職を世話してくれるような人が東京にいたとすれば剣道の関係者以外には考えにくいが、その中ですぐに思い浮かぶ一人が武専時代に指導を受けた斎村五郎である。斎村は武専の前身である武術教員養成所の一期生だ。喧嘩五郎と呼ばれるほどの乱暴者で、卒業する前に追放処分を受けて京都を離れている。

京都を去った後はしばらく宮崎の中学で剣道教師を務めていたが、明治四十四年武徳会本部に復帰し、先生が在学した頃は武術専門学校の助教授として学生たちに激しい稽古をつけていた。

その後、斎村は同期の中野宗助とともに、武術専門学校の教授法をめぐる改革運動を行ったことが原因で、大正五年の春に再び京都を去ることになり上京する。あてもなく上京した斎村だったが、食うや食わずの生活の中でも稽古を続け、その実力が認められると、警視庁をはじめとして、陸軍戸山学校、国士舘高等部、早稲田学院高等部等々で指導にあたるようになる。[註(一)]

大正十二年頃の斎村は、最も脂の乗り切った剣道家として東京で活躍していた。そんな斎村に相談の手紙を出した可能性は十分にあるのではないかと思っているが資料がなく想像の域を出ない。

同様にこれも全くの想像だが、坂東幸太郎に相談していた可能性もあるのではと思っている。前に書いた通り、幸太郎は明治三十六年（一九〇二）に早稲田の専門部を卒業しているのだが、明治四十一年（一九〇八）には再び上京して、今度は早稲田の大学部政治経済科に入り明治四十四年に卒業している。その後北海道に戻り、旭川市議を務めていた幸太郎は、大正十二年に起きた関東大震災の直後、救護隊を組織して上京し救護活動にあたっている。

また翌大正十三年には国政選挙に出馬し衆議院議員になっている。こういう経歴からして幸太郎は東京に知己が多かったはずで、先生が相談するにふさわしい人物にも思える。[註(二)]

いずれにせよ、先生は上京を果たして小金井市に居を構え、大正十三年のいつ頃からであったかは不明だが、内閣印刷局の属官となり、守衛に対して剣道の指導を行うようになる。[註(三)]

【註】

㈠　斎村五郎については、斎村龍雄編『斎村五郎の遺稿と想い出』（昭和四十七年）及び早瀬利之『気の剣　斎村五郎伝』（平成九年）参照。

㈡　旭川市編『坂東幸太郎傳』（昭和五十六年）参照。

㈢　内閣印刷局というのは、紙幣・切手・旅券・郵便貯金通帳・証券類・政府刊行物等の印刷を主に行う現在の独立行政法人国立印刷局のことである。桜の通り抜けでもよく知られている大阪の造幣局とちょっと紛らわしいところがあるが、印刷局は紙幣（日本銀行券）を印刷し造幣局は貨幣を製造する所である。紙幣を印刷する所だから警備が厳しいのは当然で、内閣印刷局編『内閣印刷局七十年史』（昭和十八年）では警備について章を設けて記述しているくらいだ。ただ、その中に守衛の剣道についての記述は特にない。

三　有信館と修道学院

先生が上京したのは、数えで三十二歳のときだから剣道家として円熟期に差し掛かろうとする頃であり、上京直後から、北海道で稽古相手に恵まれずにいた鬱憤を晴らすかのような猛烈な稽古を始めていたに違いない。

その稽古場所の一つが中山博道の有信館[註㈠]だった。当時はまだ流派にこだわるというか、誰の門下生かということにこだわる風潮が強くある時代だから、よそから来た者が簡単に稽古に参加できたわけではないと思うが、中山の所では先生の師の一人である斎村五郎が稽古をしていたし、斎村はその実力を中山からも高く評価されていたから、その紹介で道場に出入りするようになったのではないかと思われる。

中山博道は東京において高野佐三郎とならぶ大家で、その道場である有信館は本郷真砂坂下にあった。博道の剣道は独特の足捌き、体捌きで知られているが、先生からも「中山先生の剣道は見事な足捌き、体捌きでね、大正十三年から昭和五年まで有信館で中山博道に稽古をつけてもらったんだが、とうとう一本を打ち込めなかった。とにかく先生と稽古をするとすぐに息が上がってしまうんだ」と聞いたことがある。

中山の剣道については『剣道日本』昭和五十一年十月号の特集「高野佐三郎と中山博道」の座談会の中で高弟たち（中倉清範士九段・中島五郎蔵範士九段）が次のように語っている。

中倉　わたしが中山先生の門人になったのは昭和五年一月なんで、非常にお元気でよく稽古をしていただいたんですが、いま考えると中山先生の稽古はそう派手な稽古ではありませんでしたね。

中島　そう、そう。

中倉　しかし、派手ではないとはいえ積極的な稽古で、気を殺し技を殺し竹刀を殺す、いわゆる三殺法で、相手の手もとに攻め込んで構えを崩し、どんどんと打突された。そういう稽古なものですから、きょうはひとつ試合稽古をしようと思ってかかっていっても、すっすっと手もとに入られて、いつの間にか掛り稽古になってしまうというふうでしたね、

中島　先生の攻めは鋭くてタッタッタッと……、なになにと思って少し下がると、またなお攻めてこられるから、しかたがなく出ていくと、こんどはチョンチョンチョンとなやして……。そう続かないから、少し間をとってやりなおそうなんて思っていると、そこをまた「どうした、どうした」と攻められる。二、三回往ったり来たりしているうちに、もう息が上がって切り返しということになっちゃう。

先生の場合と同じである。ただ、先生は中山についての話の終りに「見事な、参ったという一本をもらうということもなかった」とも語った。

先生が稽古に出向いたのは有信館だけではない。高野佐三郎の修道学院[註(二)]でも稽古していたようだ。斎村は高野との関係も深かったから、こちらの方も斎村の紹介で稽古をしていたのだろう。

これも先生から直接聞いた話だ。ある年の修道学院で行われた夏の講習会で試合をしたときのことだ。足払い[註(三)]をかけられて倒されると、とっさに先生は倒れながら片手で胴を打ったという。審判をしていた高野がその胴打ちに手を挙げたという。試合が済んでから「あれはあんただからとったんだよ」といったというのだ。片手で、しかも倒れながらの打ちを一本とするということはまずないことだ。よほどしっかりした打ちだったということであり、日頃の稽古の中で先生の実力を高野が認めて

いたということだろう。

とはいえ、その頃は関西と関東では剣風が大いに異なっていたということに加え、何といってもよそ者のことであるから何かにつけ苦労したことだろうと思う。斎村にしても最初の頃は非常に苦労したといい、四谷にあった柴田衛守の道場での思い出を次のように語っている。[註四]

余は京都で広い武徳殿で遠間の一本打ちの稽古だから、ここの道場のように狭いところでは自分の得意な間がとれない。すぐ近間に入られ連続技で攻められるので、始めのうちは手も足も出なかった。ここの門人は警視庁の助教が多かった。したがって稽古数のかかった古強者ぞろいで、中には有名な変剣の人もあった。しかしこの狭い道場では手も足も出ないが、広い道場で充分自分の間がとれれば負けない自信があった。だが近間はご免だとはいっておれない。東京の道場は概して狭い。したがって近間の人が多い。これに勝つにはどうしても近間の稽古を研究し修練する外はない。そこで自分から近間に入って打たれ突かれても稽古した。そのうちに少しずつその要領が分かってきて近間をあまり苦にしないようになった。理論では一足一刀の間で剣尖を締めて近間に入れないようにする。又近間に入らんとする刹那に撃突する。何ぞ近間を恐れんやという理屈はその通りである。しかし実地はそうはいかない。畳の上の水練では泳げないのと同様に、打たれて突かれて修練の上体得する外はない。

永峰先生もまた、斎村同様に上京当時は関東の剣道にてこずっていたかもしれない。註㈤

【註】

㈠　先生が稽古に訪れていた頃の有信館の場所だが、明治から昭和にかけての剣道家を主人公としたドキュメントノベル作家として知られる堂本昭彦によれば「本郷真砂坂下にあった。春日町の交差点を少し行き過ぎ、右手の路地に入っていくと突き当りが石段で、この石段をのぼれば富田常雄の『姿三四郎』で有名になった右京ガ原である。有信館はこの石段に突き当たる手前の左側にあった」（『修道学院の青春』）という。

　ＪＲ水道橋駅で降り白山通りを東京ドームの方に向かって進むと、ドームを通り過ぎてしばらく行ったところに講道館があるが、その先の交差点が春日町の交差点だ。その北東角に文京区民センターがあるが、有信館はその脇の路地を入っていった辺りにあったということになるだろう。

㈡　九段坂を下りきったところにかかる俎板橋を渡った辺りが神田区今川小路（現・千代田区神保町三丁目）で、そこに高野佐三郎の修道学院があった。建てられたのは大正七年である。先生が稽古に訪れたのはここだ。もっとも、大正七年の建物は関東大震災で焼失してしまっているから、先生が訪れたのは、大正十三年四月に浦和明信館の建物を移築して再建した道場だったはずだ。

　それまでの道場である明信館は九段下の方にあった。靖国神社から九段下交差点の所まで来るとその北西角に北の丸スクエアという高層ビルが建っているがその辺りだという。修道学院からは歩いて何分もかからない場所だ。

㈢　今の剣道では足払いは許されないが昔の剣道では許されていた。警察剣道は今でも足払いは認められている。ユーチューブ動画などで足払いをかけて倒す場面を見ると、倒されながら一本になるような胴を打つというのがどんなに困難かということがよく分かる。

㈣ 斎村龍雄編『斎村五郎の遺稿と想い出』（昭和四十七年）

ここに出てくる柴田衛守は鞍馬流第十五代宗家で、中山博道と共に警視庁の巡回師範を務めていた。

㈤ 京都と東京の剣道の違いに戸惑ったというような話は先生から聞いたことはないが、有信館で元に立ち、中倉（清）や羽賀（準一）の掛り稽古を受けたが、彼らは随分乱暴な稽古だったという話は聞いたことがある。

『剣道日本』昭和五十九年六月号「聞き書き剣道史」に昭和三年八月十九日に行われた「有信館本部第三十九回査定試合組み合わせ表」（有信館の夏期講習会で行われた段級審査会の際の試合組み合わせ表）の写真が出ているが、組み合わせ表には審判として先生の名前がある。

四　野間道場

講談社の社員や少年に剣道を学ばせるために、創業者野間清治が道場を開設したのは大正十四年（一九二五）のことだから先生が上京した翌年ということになる。それはこんな道場だった。[註㈠]

この道場は神田明神のわきにあった道場を買い取って移築したもので、当初稽古場は幅五間、奥行六間（その後二回の増築で幅五間、奥行十六間の道場になった）、木造瓦葺きの本格的な道場で、玄関、内玄関、師範室、床の間、門人溜りのある稽古場、浴場のほかに、二階には修行者用の宿泊部屋もあった。

野間道場の大きな特徴は、当時の剣道界に「流派（派閥）にこだわる風潮がまだ残されていて、ことなる流派とは剣を交えることがすくなかった。そのなかで野間道場はひろく門戸を開き、全国各地から参集する修行者に修行の場を提供した」[註二]ところにあったといわれている。

野間は、息子の恒が中山の門下生ということもあって中山とのつながりが深く、道場の師範も中山博道門下の増田真助[註三]を招聘している。そういうことから考えれば、有信館で稽古していた先生も早くから野間道場で稽古をしていたものと思われる。

では、野間道場ではどういう立ち位置で稽古をしていたのだろうか。

昭和二年の夏のことだ。野間清治は、野間道場に著名な剣道家を招いて次にみるような大掛かりな夏期講習会を開いている。

> 野間清治が全国の名だたる剣道家を野間道場に招き、一ヵ月以上にもおよぶ夏期鍛錬を開いたのは、昭和二年の夏が最初である。中山博道、斎村五郎、大島治喜太、堀田捨次郎、橋本統陽、菅原融、白土留彦、山本忠次郎、中村定芳らの剣道家が、一人で三日ずつ指導した。[註四]

講習会参加者の中心は講談社の少年部の社員たちであったようだ。講習会は午後三時から始まり、稽古と試合が行われ、さらに講師による講演、講評と続き終了するのが午後九時頃。午後十時を回るときもあったという。

　このときの夏期講習会の様子が一冊の本としてまとめられていて、その中に先生が登場する。斎村五郎に次いで稽古の講評をしているのだ[註㈤]。

　打ち込みの場合、大体に於いて結構と存じますが、尚申上げますならば、掛声をもう少し大きく、そうして声を切らずにやる。一突一気合で敵を打ち倒す勢ひでやるのがよいのです。竹刀の真中で打つ人があるが、物打三寸と云って竹刀の先四五寸の所で打つやうにしたら一層よいと思います。（中略）

池田……打ち込んだ時に腰が曲がり頭を振るのはよくない、—打ちはよろしい。斉藤……振り上げた時に刀を肩へ持っていく、真直ぐに振り上げて打つ。関根……体が右に曲がってゐる、右手の力を抜くやうに。原沢……左手を締めること。恒様に……片手突で突外づしたら直ちに体当りで行く逃げたら打たれる、諸手突も同じ事です。

読んでの通りで、稽古をつけた者たち一人一人に細かくアドバイスしている。つまり、先生は、そうそうたる大家たちとともに講師として参加しているのだ。

　さらにもう一つ、先生の立ち位置をうかがえるものがある。原園光憲『野間道場物語』には、野間道場に招待された先生二十六名の名前が出てくる（招待する先生については野間道場の師範である増田真助が選んでいたようで、その名前が増田の「資料ノート」にあり、原園はそれを参照している）が、その中に、大島治喜太、斎村五郎、持田盛二などといった武専時代の先生方とともに永峰先生の名前が出てくる[註六]。

まだある。先生は野間清治から目をかけられていて、空襲で焼いてしまったが、野間から一尋（一五〇センチ）もある長い手紙をもらったことがあるという話を先生から聞いたことがあるのだ[註七]。

このことなどからも、野間清治と先生の関係がどのようなものであったかよく分かるし、道場では先生として遇されていたということもよくうかがえるだろう。

【註】

㈠　引用は堂本昭彦『中山博道有信館』（平成五年）から。昭和二年の講習会については上記の本と共に原園光憲『野間道場物語』（昭和六十年）小杉英司『野間道場記』（昭和三年）を参照。

㈡　原園光憲『野間道場物語』（昭和六十年）

㈢　増田真助は『野間道場物語』によると「明治三十四年二月東京の小石川区春日町に生まれ」だから明治二十六年生まれの先生とは八歳違いだ。「十一歳のときに本郷真砂町の有信館に入門」している。その後「大正十四年四月講談社に迎えられ野間道場の師範となり以降昭和二十一年二月まで持田盛二とともに師範をつとめ」た。「昭和十五年の紀元二千六百年奉祝昭和天覧試合指定選士の部で優勝している」。

㈣　堂本昭彦『中山博道有信館』（平成五年）による。

この講習会では稽古の後に必ず試合が組まれていて、先生は恒と試合をしている。斎村五郎が講評の中でこの試合について触れている。

> 相手に乗る気でやる様に。攻め込まれて其の時に待つ気がありますから其処を打たれる、気分が止まってゐるのである、突など特にこの場合よく入れられるのです、其の時は捨身になって反対にこちらから攻め込んで撃つ様に気分で気分を抑へる様に腕力で間合など取らうとせずに向ふに間合をとられぬ様こちらの間合をつくることです。

㈤　昭和二年の講習会における講話、講評は、小杉英司によってまとめられた『野間道場記』（昭和三年）に掲載されている。斎村五郎の次に「御同行の永峰先生より」とあるから、先生は武専時代の先生の一人である斎村五郎と一緒に講習会に参加していたようだ。

講評の中に「恒様」とあるが、恒は野間清治の息子だ。子供のときから英才教育を受け、昭和九年に行われた天覧試合では府県選士の部で全国優勝している。先生の次は大島治喜太が話しているが、大島も斎村同様、武専時代の先生になる。

先生のこの講評については、いつどこでお話されたものか分からないがこういうものがある、と村木昌弘さんからそのコピーを頂戴し、調べてみたところ昭和二年の講習会のときのものであることが分かったという次第だ。

『野間道場記』は昭和三年夏に発行されているが、非売品で講談社の社員や講習会参加者に配られたものらしい。

本としてはなかなか手に入らないものだが、国立国会図書館のデジタルコレクションに入っているので、浜松市であれば城北図書館か中央図書館に出向けばパソコン上で閲覧できる。

(六)　増田真助の「資料ノート」は、原園によれば昭和四年から六年にかけてのものという。「ノートの第一ページに先生方の住所氏名が記されており」本文に書いたように、その中に先生の名前がある。「野間道場へ先生方を招待するにあたって、その人選は増田真助の推挙が参考にされた」というが、このノートに名前がある剣道家が真助に推挙された者たちなのだろう。

(七)　先生から聞いた話だ。あるとき野間清治に、息子の恒を武者修行に出したらどうかと勧めたことがあったという。すると、今の先生方の中に引率をお願いできる方がいますか、と野間が答えたそうだ。剣道の実力というのではなく息子を託すことができるだけの人物が大家たちの中にいないという意味だ。

手紙のことだけでなく、こういう会話を交わすことからも先生と野間との距離の近さがうかがえる。

また、それだけでなく、野間は社員教育に剣道を取り入れ大道場まで開設するほどの人だったが、剣道の大家たちを手放しで崇めていたわけではなく、かなりシビアな見方をしていたということもこの話からよく分かる。

恒の本格的な武者修行は持田盛二が野間道場に師範として招聘されてからのことで、持田の引率のもとに昭和八年、九年と武者修行に出かけている。

第六章　浜松その一（昭和六年〜昭和二十年）

一　東京を去る

先生は、昭和六年（一九三一）に県立浜松工業学校[註一]校長山本又六[註二]の招きで東京から浜松にやって来たわけだが、山本がどういう経緯で先生を招聘したのか、なぜ、先生が招きに応じたのかといったようなことは、資料も、言い伝えられているような話もなく、全く分からないといっていい[註三]。

前章でみてきたように、先生は東京において一介の修行者であったわけではない。実力のある剣道家として評価されていたわけだし、東京には、武専当時の先生である斎村五郎や大島治喜太などもいた。昭和五年には、やはり京都で指導を受けた持田盛二が野間道場の師範となっている。さらに先生が北海道から上京して以来剣道を通じて培ったさまざまな剣道関係の人脈もあった。いずれはしかるべきところで斎村のように指導者としての道を歩むこともできたと思う。にも拘らず、先生は東京を離れ浜松にやって来たのはなぜだろうか。

資料がないからここからは想像である。

浜工は、昭和五年三月に図案科・建築科の修業年限が五ヶ年に延長され、新しいスタートを切っている。全国的に見ても珍しい、半月間にも及んだという鮮満修学旅行は、これを記念して立案されたものだというから昭和五年は浜工にとって新時代の始まる年だったのだろう[註四]。

更にこの年の五月、昭和天皇が静岡県内を御巡幸されたとき浜工へ御臨幸になっているのだ。これは大変なことで、学校としてこれ以上名誉なことはない出来事である。御臨幸を機に、山本校長が浜工をよりいっそう素晴らしい学校に、との決意を新たにしたであろうことは想像に難くない。

　また、翌年の一月、それまで正科として実施してもよいとなっていた柔道と剣道が中学校における必修科目となり、これに準じて工業学校、農業学校、商業学校といった実業学校でも必修科目となったのだ。[註(五)]こうした流れの中で山本は人材を広く求め、白羽の矢を立てたのが東京にいた永峰先生だったのではないだろうか。[註(六)]

　ここで思い浮かぶのは先生の師である内藤高治のことである。警視庁の武術世話係や早稲田大学の剣道師範をしていた内藤は、武徳会理事の楠正位から明治三十二年「ミチノタメキタレ」という電報を受け取る。内藤はその言葉に心を動かされ、東京での恵まれた地位を捨て京都に向かっている。[註(七)]

　繰り返すがこれは想像である。山本がどういう経緯で永峰先生の存在を知ったのか、なぜ白羽の矢を立てたのか全くもって分からないが、浜工への招聘にあたって山本は上京し、先生に直接会って浜工への赴任を誠意を尽くし懇願したことであろう。

　先生もまた、師である内藤のように、山本の人柄やその言葉に心動かされ、いろいろな点において恵まれていた東京を離れ、浜工赴任を決めたのではないかと思う。

【註】

(一)　浜松工業学校については、浜松市文化遺産デジタルアーカイブ（浜松市立中央図書館）にある浜松工業学校の写真につけられた解題・説明が簡潔で分かりやすいので引用する。

明治以降急速に発展した浜松の繊維産業の技術をさらに伸ばすべく、静岡県染織講習所（染色・機織・図案の３科）が設立されたのは大正４年（１９１５）のことであった。ここは高等小学校の修了生を入学資格とし、修業期間は1年であった。しかし、これでは不十分との声があがり、猛運動の結果、大正7年（１９１８）４月に浜松工業学校が馬込町の静岡県工業試験場浜松分場（今の東小学校の南東付近）で授業を開始した。翌大正８年４月に北寺島町（今の浜松駅南団地付近）に静岡県浜松工業試験場とともに移転した。昭和初期には染色仕上科、紡織科、図案科、建築科の４学科があった。戦後の昭和23年（１９４８）４月に浜松工業高等学校となり、昭和39年（１９６４）に三方原台地の初生町に移転し現在に至っている。

㈡　山本又六は明治十四年（一八八一）、高知県安芸郡土居村（現・安芸市土居）に生まれ、東京高等工業学校（現・東京工業大学）附設工業教育養成所染色科を卒業。石川、徳島両県の工業学校勤務を経て大正四年（一九一五）、静岡県工業試験場の主任技師として浜松に着任。大正六年（一九一七）に静岡県工業試験場浜松分場長兼静岡県染織講習所長となり、以来一貫して遠州織物の開発・品質向上に努力したという。また、浜松工業学校の設立に奔走し、学校が設立されると初代校長となり、昭和二十年まで校長を務めている。昭和四十一年、浜松市名誉市民に推挙された。昭和五十五年に亡くなり、元城の浜松市民体育館で市民葬が営まれている（以上は市民葬の式次第に掲載されている経歴を参照）。

㈢　先生が浜松にやってきた経緯に関する資料は、本文にも記したがほとんどないといっていい。それだけではなく、昭和六年四月から昭和二十九年三月までの二十三年間勤務した、浜松工業学校時代のこともよく分からない。

㈣　昭和五年は、戦前における最も深刻な経済恐慌の真っ只中にあった年である。米価の大暴落、生糸の大暴落で農村部も大きな打撃を受けていた。当時浜工に勤務していた中江齋は「昭和五年から七年頃は、昨今以上の深刻な不景気で、職員は減俸、卒業生は就職難で、職員を挙げて求人開拓に奔走しました」と六十周年記念誌に書いている。こうした状況下で、図案科・建築科の修業年限が五ヶ年に延長され、半月にも及ぶ鮮満修学旅行が立案されていることには、学校経営の在り方についての山本の積極的な考え方が相当反映しているのだろう。永峰先生招聘も同様のはずだ。

㈤　明治四十四年の中学校令施行規則改正によって、体育の科目として行ってもよいとされていた剣道が実業学校においても必修となった。

　社会情勢の一変と、武道奨励の一般の要求に伴って昭和六年一月十日、師範学校規程、中学校令施行規則中の改正を行った結果、師範学校においては「男生徒ニ就キテハ剣道及柔道ヲ加ヘ授クベシ」となり、中学校については「体操ハ体操、教練、剣道及柔道、遊戯及競技ヲ授クベシ」となり、従来「剣道及柔道ヲ加フルコトヲ得」とあったのであるが、ここではじめて剣道と柔道が独立した必修科目として実施されることとなった。また右に準じて工業学校、農業学校、商業学校等の実業学校においても、剣道と柔道を必修すべきことが明記された（庄子宗光『改訂新版剣道百年』）。

㈥　山本校長が武道教育に熱心だったことは、旧職員（昭和八年から十二年間柔道教師を勤めた中島捷四郎）の次のような回想からもよく分かる。

（前略）私の脳裏に深く刻み込まれたものがあります。それは山本校長の柔剣道に対する熱意です。と云うことは柔剣道場の少し離れた所にありますが、同時間に授業を行いますと、パタンパタンとスリッパの音を立てゝ校長独特の歩き方でどちらかの道場に見学にお出でになるのが相当遠くから判ります。それが度々お出でになり柔剣道双方を見学されます。然も厳然たる態度で熱心に御覧になって居りますので、私も非常に張り合いがあり、指導にも力が入り、生徒も校長の前ですから一生懸命頑張ります。此の校長の見学がどれ程生徒や私達の励みになったことか、私が在京中故三船先生の助手として、或いは代理として当時の中学や高校に数多く指導に参りましたが、道場に直接見えられた校長は一人も居りませんので山本校長には特に感激したものです（『創立六十周年記念誌』）。

(七)　高岡謙次編『剣聖内藤高治先生』（昭和五十五年）

二　浜松の剣道界（演武館・誠道館・照徳館）

先生が浜松にやって来た当時の浜松には、演武館、誠道館、照徳館という三つの剣道場があって盛んに稽古が行われ、地元の学校の剣道部の指導にこれらの道場の門下生たちが出向いたという。

この三つの道場については『浜松剣道史[註(一)]』に要領よくまとめられているので少し長くなるが引用させてもらう。

演武館は、明治四十年浜松警察署長小川静衛、浜名郡長天野千代丸、浜松中学校長中久木信、浜松商業学校長小原右馬充、浜松農蚕学校長合志修敬が発起人となり、理事長には天野千代丸が就任して、寄付金八千円により浜松市利町五社神社境内に設立された。

この道場は、二階建てで一階が武道場、二階は事務所、広間となっており、間口は十二間、奥行きが八間半という大きな規模で、浜松警察及び各学校の連合試合場として、また一般武道練習場として使用していた。師範は原芝助が最初、次が前述の間宮勇太郎、その次が宮脇徹であった。この道場は、昭和二年頃五社神社から広沢町の普済寺境内の門東側へ移転し、さらに浜松師範学校（静大）構内へ再移転したが、その後、昭和十九年～二十年ごろ戦災で焼失した。浜松で最も長い歴史をもった道場であった。

誠道館は、大正十五年岡田良平が個人で浜松市の現鴨江観音の西側に隣接して設立された。

しかし、昭和五年火災に遭遇したため、現在のグランドホテル浜松横の割烹「いなんば」の北側道路に隣接して再建したが、再び昭和十九年戦災で焼失し閉館した。

この誠道館は、昭和の初期から昭和十九年に焼失するまで、浜松では最も盛んな道場であった。

門下生には、桑原進（範士七段）、藤本遼太郎、足立俊雄、内山弘一郎、鈴木義雄、河合万喜夫など、戦後まもなくの浜松剣道界の立て直しに活躍した人たちのほか、顧問として活躍した渡辺武次範士七段、高柳輝一教士七段（現浜松剣連顧問）、箕浦金次教士七段（現浜松剣連参与）の他、平野洋一教士七段などがいた。（中略）

照徳館は昭和七年、元海軍大佐で後に浜松市図書館長になった石井忠晴が、浜松市元城町の元城小学校校庭の西角付近に設立した。師範は宮脇徹錬士五段（昭和二十二年五十四歳にて病没）であった。

門下生には河合多三範士七段（元浜北剣連会長）、京極安太郎教士七段（元浜松剣連顧問）、内山篤、木下兼雄教士七段などがいた。

【註】

㈠ 鈴木秀治教士七段が中心となって編纂された『浜松剣道史』は、浜松剣道連盟が平成十八年に剣道連盟創立五十五周年を記念して発行した小冊子であるが、明治、大正、昭和の浜松の剣道史を知る上でたいへん参考になるものだ。
ただ、浜松市の図書館にも架蔵されておらず簡単に読むことができないのが惜しまれる。もっとも内容的にほぼ同じものを静岡県剣道連盟の『創立五十周年記念誌』（平成十四年）で読むことができる。これは浜松市中央図書館の郷土資料室に架蔵されているが、館内閲覧しかできないので読むためには図書館まで足を運ぶ必要がある。

三　東海の小天狗、岡田良平

岡田について前節でも触れたが、袋井出身で大長九郎[註㈠]の弟子だったという。明治四十五年七月に武専の前身である武術教員養成所を卒業しているから先生の先輩にもあたる。
『浜商の群像[註㈡]』に内藤高治や門奈正などと並んで写っている岡田の写真が出ているがかなり小柄だ。しかし、がっちりとした身体と鋭い目つきは、巨漢ぞろいの大相撲の世界で、小兵ながら活躍している石浦とか炎鵬といった力士を思わせ、「足腰が強く、組み打ち・足がらみが得意で、六尺豊かな大男をコロコロと倒して恐れられた」（『浜商の群像』）というのもうなずける。

師である大長九郎は力信流の柔術家としても知られていたから、足腰が強く組み打ちが得意だったのは師匠譲りだったかもしれない。

「背の丈わずか五尺（一五一センチ）ながら剣風豪快、東海の小天狗と呼ばれていた」（『浜商の群像』）岡田は大正末期に浜商の剣道師範となり、戦災で亡くなるまで、昭和四年の天覧試合[註(三)]に神奈川県の代表として出場した笠原善一（大正十五卒）をはじめ多くの名剣士を育てた。

【註】

(一)　大長九郎の剣歴等については静岡県剣道連盟のホームページ等を参照にすると次のとおりである。明治八年三月、岡山県御津郡牧石村に生まれる。旧岡山藩武術師範力信流七代、大江安左衛門の門人となり、柔術、剣術、居合術を修行し、明治三十一年、力信流八代、大江和三郎から力信流免許（柔術・剣術・棒術・十手・早縄・居合）皆伝を授けられる。明治三十二年、静岡県警察本部の柔術教師として招かれ、明治三十三年、大日本武徳会静岡県支部教授となるが、静岡県警察本部の委託生として大日本武徳会武術教員養成所の講習科で修行し明治四十一年卒業する。同時期に修行した者には、斎村五郎、持田盛二、中野宗助という後に範士十段となった錚々たる剣道家たちがいる。

昭和四年、五十五歳のときに宮中済寧館における天覧試合指定戦士の部に出場。近江作郎、高野茂義、近藤盛一との予選リーグでは二勝するが、この天覧試合で準優勝した高野に二―一で敗れ決勝トーナメントには進めなかった。

大長との試合について高野は『剣道一路』（昭和六十年）の中で

ほんの瞬間に、見事大長氏に面一本をさらわれたが、これは文句なしの技で、初太刀一本を大切にする私は、幸い、あとの二本で勝を得ることが出来たが、大長氏には参ったと思った。

と述べており、大長の実力のほどがうかがえる。

昭和二十八年、全日本剣道連盟から居合道範士、居合道十段を授与され、昭和二十九年、全日本剣道連盟から剣道範士を授与されている。

㈡　中日新聞東海本社『浜商の群像』（平成六年）

岡田については『静岡県立浜松商業高等学校剣道部創部百周年記念誌』（平成十七年）にも何枚かの写真とともに様々なエピソードが紹介されている。

㈢　大長や笠原が出場した昭和四年の天覧試合について『改訂新版剣道百年』に

昭和四年五月四、五の両日、今上陛下御即位の御大礼を記念して、宮城内旧三の丸覆馬場及び済寧館において、宮内省皇宮警察部の主催のもとに挙行された天覧武道大会は、日本武道史上空前の盛事であった。参加した選士の顔ぶれといい、その全国的規模と云い、また試合内容から見ても、日本武道界はじまって以来の大試合であった。

とある。

四　メイさんと呼ばれた男、高橋明

先生が浜松工業学校に赴任した頃、浜松には先生以外に二人の武専卒業生がいた。一人は、浜松第一中学校（現・浜松北高校）の高橋明である。

宮城県の出身で先生の一期後輩だ。もっとも、明治二十六年の生まれだから先生とは同年ということになる。大正十二年に赴任し昭和十七年十月まで漢文及び剣道を教えていた。その頃の高橋について、教えを受けた者たちが『創部百年記念誌』の中で次のように思い出を語っている。[註(一)]

試合で負け悔しがっていたとき、高橋先生が選手に「剣道は、勝ち負けだけに拘るな。」と一言教えてくださったことが、今も記憶の中に生きている。（旧四十回生）

剣道の高橋先生は教室では「漢文」を教えて居られた。我々は「体操」の高橋末吉と混同しない様に、明（メイ）さんと呼んでいた。先生は武専（武道専門学校）ご出身の専門家で、最も得意とされたのは、右片手上段の構えであった。稽古のときにはいつも最後にはこの構えで我々を苦しめた。先生は「頭で稽古をしろ」と言うのが口癖で、「徒に長時間、だらだらと稽古する必要はない。稽古は五十分で充分だ。その代わり、五十分稽古をして未だ立って居られる様なら止めてしまえ」と言われた。又「部員が揃うまで待っている程君等には時間的余裕はないはずだ。一人でも二人でも先に来た者から支度をし、準備をして稽古にかかれ」とも言われた。（旧四十二回生）

剣道の先生は高橋明先生、かゝり稽古で甲手、面と打ち込んで体当たりしてもびくともせず、煙草のニコチンの匂う息を吐き乍ら「それ頑張れ」と幾度も押し戻されたのを覚えている。
練習後の竹刀の手入れは、高橋先生も、父も特に厳しく躾けられ、練習前、試合前の点検は念入りに行ったものである。（旧四十三回生）

いずれの回想からも浮かび上がってくるのは、武専の稽古で鍛え上げられた剣道家の姿だ。『創部百年記念誌』に掲載されている写真を見ると、柔和な顔つきで一見すると武道家のようには見えないが、よく見ると背筋がピンと伸び、鍛え上げられた身体であることが見て取れる。

県立蚕業学校在学中に高橋の指導を受けた（高橋は始めの頃蚕業学校でも教えていた）河合多三[註(二)]はその著書の中で「体格のよい当時剣道五段の立派な先生でした」（『天竜川畔の八十年』）「剣技といい、風格といい、実に堂々とした先生で、何時も私はあの高橋明先生の様になりたいと心に描いておりました」（『私の剣道と人生』）と語っている。[註(三)]

高橋は、その理由ははっきりしないが昭和十七年十月に二十年以上勤めていた浜松第一中学校を退職している。十月という年度途中のことでもあったから『浜松北高等学校八十年史』に「秋風道場を驚かす頃、吾が師高橋先生は卒然として吾が校を去る」とあるように、生徒にとっては寝耳に水のような退職だった。

退職後の高橋についてだが、旧制中学四十九回卒の伊藤浦二が『創部百年記念誌』に寄せた回想の中で「先生は、一年生当時から高橋先生で敬服する立派なタイプの先生であった。私たち在学中途に旅順工大へ転任されてしまった」と記している。

ちなみに『旅順工科大学開学九十周年記念誌　平和の鐘』に、昭和十八年卒業の川原裕が剣道部についてその思い出を書いているが、その中に「木村、白土、小関、工藤、古賀、高橋の教士、範士が指導に当たられた」とあり、もしかしたらここに出てくる高橋が該当するのかもしれないが確かめられなかった。

それはともかく、高橋は、どういうわけかその後剣道界を離れたようだ。河合多三は「高橋先生も引き続き剣道界に居れば今頃は日本最高の大元老となったでしょうが、風のたよりに、何か深い事情により剣道界から引退して、戦前中学校の校長になって全く剣道の社会から離れてしまったと聞きますが剣道界としては惜しい人を失ったと思います」と述べている。[註(四)]

高橋は戦前のある時点から剣道界を離れ、戦後剣道が復活した後も剣道界に戻ることはなかったようで、浜剣の稽古などには一切参加しなかったと聞く。しかし、北高の剣道部には昭和四十年頃までは顔を出し、稽古をつけていたようで『創部百年記念誌』に教え子が次のような思い出を寄せている。[註(五)]

> クラブ活動の日の三時ころになると、高橋明先生はプールの横の階段から杖を持ってニコニコされて現れる。稽古になると、ポン、ポンといっては、小手を打ち、なかなか打たせてもらえない。大勢の生徒を次から次へと稽古され、とても元気でありました。卒業間近になり、卒業アル

バムを持って皆で広沢のお宅に伺い、努力高橋明と書いていただいた。（高十七回生）

師範は高橋明先生だった。高橋先生が直接稽古をつけられたのは、私達が一年の時が最後だったと思う。あの痩せた身体に防具を着けられ、竹刀の先を私達の咽喉に突けられたら、身動きできず、蛇ににらまれた蛙同然だった。「大日本武徳会」と言う言葉も初めて教えられ、先生は古き日本の剣士と言う印象だった。（高十九回生）

【註】

㈠ 静岡県立浜松北高等学校剣道部創部百年記念誌編集委員会編『創部百年記念誌静岡県立浜松北高等学校剣道部』（平成十年）

㈡ 明治四十二年中瀬村（現浜松市）に生まれる。県立蚕業学校、東京高等蚕糸学校に学ぶ。戦後、県議を五期二十年務める。静岡県剣道連盟の各種役員を歴任。居合道範士、剣道範士。

㈢『天竜川畔の八十年』（平成四年）及び『私の剣道と人生』（平成七年）

㈣ 静岡県剣道連盟の『創立五十周年記念誌』によると、昭和二十八年に第二回静岡県剣道大会が静岡市で開催されているが、このときの審判員の中に永峰先生などとともに高橋の名前があり、昭和三十五年の「高段者名簿」（静岡県剣道連盟）にも審議員の一人として名を連ねているから全く剣道界から離れていたわけでないようだが、戦後の浜松に剣道が復活した頃を知る何人かの人に話を聞いても、浜剣の道場などで高橋明と稽古をしたことがあるという人には出会わない（本文にあるように北高で稽古をつけてもらった人はいる）。

㈤『創部百年記念誌』によれば、昭和二十九年十月に北高剣道部後援会の発会式が行われたときには出席しているし、そのとき参集した卒業生たちの集合写真にも写っている。

五　山本（鈴見）捨吉

そしてもう一人。武専第十五期卒（昭和四年）の山本（旧姓鈴見）捨吉が浜松商業学校（現・浜松商業高校）にいた。明治三十六年生まれであるから永峰先生の十歳年下ということになる。昭和五年の卒業アルバムと思われる写真の中に剣道部の生徒たちと一緒に写っているから、武専卒業と同時に赴任したのだろう。なお、この写真には浜商剣道部の師範でもあった誠道館の岡田良平も写っている。[註㈠]

⑯山本捨吉

ここからは個人的な話になるのだが、高校二年生の春休み、永峰先生に連れられて他の部員とともに浜商の稽古に参加したことがある。そのとき、富山県から浜商にやって来ていた砺波高校との練習試合に先鋒として出た。砺波高校というのは、富山県の進学校として知られている高校だ。剣道も強く、何度もインターハイに出場したことのある強豪校[註二]だったが、なぜかこのときは調子がよくて勝つことができ、翌日永峰先生から褒められたことを覚えている。

後になってそのときのことを思い出すと、なぜ富山県のような遠いところからわざわざ浜商まで遠征してきていたのだろうかと、不思議でならなかった。その頃は県内の高校同士でもめったに練習試合をしなかった時代である。

今回、先生の武専時代の後輩である山本を調べていく中でようやくこの謎が解けた。山本は昭和十五年前後に浜松商業学校を退職して郷里の砺波に帰り、昭和二十九年の四月から昭和五十一年頃まで母校である砺波高校に勤務し、剣道部の顧問をしていたのだ（昭和三十九年に定年退職となっていると思われるがその後も講師として勤務していたのだろう）。

要するに昔の勤務校の剣道部と交流していたわけだ。とはいえ、浜松を離れ、しかも剣道ができなかった時期があったことも考えると十年以上は交流どころではなかったはずだ。いったいどんなことから浜商との交流が始まったのかという新たな謎が出てきたわけだが、これは、浜商の卒業生で浜松剣道連盟副会長だった桑原進との再会がきっかけだったようだ。

浜商における山本の最初の教え子の一人である平野洋一（教士七段）によれば、昭和三十三年に富山で国体が開催された折、剣道会場の庄川町立庄川中学校体育館（現・砺波市立庄川中学校）で二人は再会を果たし、久闊を叙す中で交流の話が出たのだという[註三]。

早速、翌年の夏休みに浜商が砺波高校に出かけている。[註㈣]以来、春休みに砺波高校が浜商へ、夏休みには浜商が砺波高校へ出かけるというかたちで交流は行われていたようだ。[註㈤]砺波高校が春休みに浜商に来るときに合わせて永峰先生は興誠の生徒を連れ稽古に参加していたのだろう。僕が砺波高校との稽古に参加したのは高校二年生の春休みで、そのとき山本も生徒と一緒に来ていたはずだが残念なことに山本のことは全く記憶にない。

山本は昭和五十一年一月に亡くなるが、浜商と砺波高校との交流は昭和五十一年の春休みまでは続いていたようである。

【註】

㈠ 浜商剣道部後援会『静岡県立浜松商業高等学校剣道部創部九十周年記念誌』（平成七年）

㈡ 砺波高校剣道部の活躍は『礪波中學校砺波高等学校百年史』（平成二十一年）にこう記されている。

　剣道部は、その後山本捨吉教諭（中一〇回）を迎えてますます強くなって、県下では他の追随を許さなかった。三十年代は戦後における本校の全盛時代となった。第一回インターハイから五年連続、四十年まで十二回中一〇回（うち男子団体九回）全国大会出場権を獲得して、常勝の座を譲らなかった。

　この『礪波中學校砺波高等学校百年史』であるが、砺波高校同窓会事務局に山本捨吉について問い合わせたとき、資料としてお使いくださいと送っていただいたものである。記して感謝の意を表したい。

㈢『静岡県立浜松商業高等学校剣道部創部九十周年記念誌』に、平野洋一が「恩師を語る」と題して山本の思い出を綴っている。ただ、その中で桑原との再会を「昭和四十三年の富山国体」と記しているが、富山国体は昭和三十三年のことだからこれは平野の勘違いだろう。

平野は山本が亡くなったときのことについても触れている。昭和五十一年の浜松剣道連盟の稽古始めに永峰先生から「鈴見が昨日亡くなったよ」と告げられた平野は、恩師の告別式に参列するため翌三日の夜行で砺波に向かったという。

桑原と山本の再会については京都大会だったという話もある。これもあり得ることだと思うが今となっては確かめようがない。

（四）

去年の十一月十七日のことである。浜松市民スポーツ祭剣道競技大会が開催された浜松アリーナで、浜商剣道部のOBである高林健治さん（教士七段）に久しぶりにお会いした。

たまたまお目にかかったわけだが、良い機会と思い、砺波高校と浜商剣道部との交流について聞いてみた。すると、高林さんが、自分たちの頃には交流がなかったから分からないが、砺波高校の剣道部だった人が浜松にはいるよと思いがけない話を聞かせてくれたのだ。砺波高校の剣道部だった人が浜松にいるなどということは考えてみたこともなかったから驚いた。

砺波高校剣道部OBというのは、神明町でアパレル商品やファッション小物などを販売する『Arthur co.,Ltd.』を営む平井宏さんとその弟さんでリフォームショップ『エル』を営む平井茂さんである。お二人にすぐにお目にかかって話を聞かせてもらった。宏さんは昭和十六年生まれだから、交流がスタートし、昭和三十四年の夏休みに浜商剣道部が砺波高校を始めて訪れたときの三年生ということになる。

宏さんによるとやってきた浜商生徒の宿泊場所は学校だったということだ。弟の茂さん（昭和二十四年生まれ）たちの頃からは剣道部員の家に分散して泊まるようになったという。

浜商に来る前は京都に立ち寄って練習試合、浜商での合同稽古の後は、豊橋で練習試合を重ねながら帰校したというから、当時とすればかなり大掛かりな遠征だったようだ。

山本だが、お二人によると武専仕込みのその稽古はたいそう厳しかったが、面をとれば優しい人で、生徒から「捨てさん」と呼ばれ、大変慕われた人だったそうだ。

(五)

砺波高校と浜商剣道部との交流については、浜商剣道部ＯＢ（新十六回）の山田政和さんからもいろいろ話を聞くことができたが、その中には驚くような話が幾つかあった。

その一つは、砺波高校への遠征費用が、浜松剣道連盟副会長も務めた桑原進を中心とした剣道部ＯＢたちの寄付によって賄われていたということである。つまり、交流はＯＢたちが後援したというよりも、むしろ剣道部ＯＢが中心となって企画したものだったようだ。それにしても一部活のＯＢたちだけでそうしたことができてしまうというのはさすが浜商である。

山田さんが初めて砺波高校に行ったのは昭和三十八年（一九六三）高三の夏だという（昭和三十四年に砺波に出向いているわけだがその後砺波遠征は途絶えていたようだ）。高三の夏といえば三年生は部活を引退している頃だが、大学進学を考えていた山田さんは、夏休みに入っても横須賀高校で行われていた國學院大学の合宿にひとり参加するなどして稽古を続けていたそうだが、その頃、剣道部ＯＢの中心的な存在であった桑原から、砺波遠征を再開するから二年生を連れて砺波に行くようにと遠征費用一切を渡されたという。

砺波へは高山本線で富山、さらに高岡まで行き、高岡からは城端線で砺波という旅程だったそうだ。当時の高山線はまだ蒸気機関車だったから、トンネルに入るたびに煙が車内に入り込み（高山線はトンネルが多い）、富山へ着く頃には白のワイシャツが煤で随分汚れたそうである。朝出て砺波に着いたのは夕方だったという。

砺波高校での五泊六日の合宿は、近くの庄川小学校の体育館を借りて行われ、泊まるのは小学校の教室で、最後の夜だけは剣道部員の家に分宿したのだそうだ。

当時の砺波高校は毎年のようにインターハイに出場する強豪校で、県警にもＯＢが大勢いて合宿には顔を出したから、そうした人たちが元に立つ稽古はなかなか大変だったようだ。

また、面をとれば穏やかなお爺ちゃんだった山本も稽古は厳しく、浜商剣道部ＯＢで後援会長だった杉本浩さん（昭和四十六、四十七年の遠征に参加）も『創部百周年記念誌』に「砺波高校の稽古は凄まじく、早朝から夜まで延々と続く稽古に、道着と防具が乾くことはなかった」と書いている。

山田さんだが、結局卒業後大学へは進学せず家業を継いだそうだが、その後も桑原から頼まれ何度か砺波へ部員を引率して行ったという。春に砺波からやって来た生徒の面倒も見たという。高町の半僧坊（正福寺）の本堂に泊り、最後の夜だけは剣道部員の家庭に分宿したそうだが、その前に砺波高校の生徒を車に乗せて舘山寺などに連れて行ったそうだ。山田さんの手元には山本や生徒からの礼状が残されている。

岡田修二先生（元静岡商業高校校長）は昭和四十六年に浜商剣道部の顧問になったそうだが、話をうかがうと、その年初めて砺波の夏合宿に生徒を連れて参加したときには、山田さんや桑原も同行してくれたという（岡田先生が顧問になる前の何年かは、春に砺波高校は来ていたようだが、浜商による夏の砺波遠征は行われていなかったようだ）。このときには、遠征途中に高山市にあった岐阜県立斐太実業高等学校などにも立ち寄って練習試合を行ったそうだ。

岡田先生によると、山本は温和な人だったが、剣道に関しては確固とした信念を持っていて頑固なまでにそれを譲らなかったという。

岡田先生が剣道部の顧問になった頃、部に初めて女子部員が誕生し、その中の一人に上段をとらせたところ、浜松にやって来た山本からそれだけはやめてくれないかと強くいわれたそうだ。

ここで話が少しそれる。先生は高校生相手に上段をとることはなかったが、一般の人に対しては上段をとることがあった。片手右上段である。上段の場合、一般的には左上段、つまり、左足を前に出して構え、左片手で面や小手を打つことが多いわけだが先生はなぜか片手右上段だった。

どういう折であったのか全く覚えていないのだが、その理由を話してくれたことがある。先生によれば、そもそも真剣での斬り合いであれば片手切りということは普通あり得ないという。つまり中段に構え、その構えから打突するのが剣道の基本で、もし強いて片手で斬るということであれば、より力の強い右手を使う方が理にかなっているというような話だった。

これは、打突に際して竹刀を念頭に置くのか、刀を念頭に置くかの違いということなのだろう。先生は刀を念頭に置いた打突というものを常に心掛けていたのだと思う。山本も同じだろう。

これは先生や山本の考え方というのではなく、内藤高治の教えではなかったかという気がする。というのは、先生の後輩である高橋明（武専後輩。浜一中剣道教師）も右片手上段に構えたというし、武専出身の人で上段を得意としたという人を余り聞かないからだ。持田盛二や斎村五郎といった武専出身の高名な剣士たちが稽古や試合で上段をとったという話を聞いたことがない。

※　写真⑰は昭和十一年頃のもの。浜商剣道部『創立九十周年記念誌』に掲載されていたものを使わせてもらった。

六　山下正実

浜松には二人の武専卒業生がいたと書いたが磐田にも武専卒業生がいた。山下正実という人である。

山下は高知出身で明治二十七年生まれ。高橋と同期だ。磐田の旧制見付中学（現・磐田南高校）の剣道教師だった。

門下に斉藤亮一、高野義雄、鈴木雪雄、長谷川弘、大村欽一、堀田周、伊藤金平等がいた。

元中学校長で磐田剣道連盟副会長だった田中正教士七段が山下の稽古について「先生には非常に可愛がられたが、その練習は厳格そのもので、道場の入口から何回も打ち出され、意識を失った事も数十回に及んだ」と語っているが、山下もまた永峰先生や高橋同様いかにも武専卒業生という感じがする[註㈠]。

山下は戦後いち早く剣道の復活を提唱し、磐田周辺の者たちと稽古会を持ったが惜しくも昭和二十八年に急逝した[註㈡]。

【註】

㈠ 加戸宏平編『全日本武鑑中部編』（昭和五十三年）

㈡ 静岡県剣道連盟「磐田剣道連盟の歩み」『創立五十周年記念誌』（平成十四年）

七　我が道を行く

先生が浜松にやって来た昭和六年頃の剣道界はここまで見てきた通りなのだが、先生が演武館はもとより先輩である岡田の誠道館でも稽古をしたような形跡がない。高橋や山下ともあまり交流がなかったように感ずる。明治神宮大会に県を代表して出場したときにも「浜工生徒と週一日の浜師生徒を相手にする外に稽古をしていない」（『浜剣だより剣友』「思い出（その四）」）状態でありながら、自宅で素振りを繰り返すだけで岡田の道場等に顔を出している様子はないし、高橋たちを相手に稽古するということもなかったようだ。そんなことからすると普段から疎遠だったと思われる。

岡田とは年も離れているし、先生と岡田はあまり親しくなかったという噂を耳にしたこともあるから分かるような気もするが、高橋や山下はわずか一つ下の後輩でもあり、武専時代には何度となく稽古をした、いわゆる同じ釜の飯を喰った先輩後輩だから結びつきは強いはずなのにと、ちょっと理解に苦しむ。それぞれが我が道を行くというタイプの人だったのかもしれない。

八　明治神宮体育大会優勝

先生は昭和十二年の明治神宮大会（国体のような大会）に出場し、剣道一般壮年専門家の部（現在行われている全日本選抜剣道七段選手権大会、これに出場する選手は全日本剣道選手権大会に出場したような選手ばかりだが、剣道一般壮年専門家の部に出場する選手というのはこれに匹敵するような選手と考えていいだろう）において優勝する。

この大会のことは、先生自身が『浜剣連だより剣友』に「思い出」と題して書いているのだが、前述のように浜松剣道連盟にも『浜剣連だより剣友』は残されておらず読むことが極めて困難である。先生が執筆された分については幸い手もとにすべてあるのでここに転載する。

思い出（その三）「試合前夜」

私は丁度四十年前に、明治神宮体育大会に県代表選士として出場した。此の大会は明治神宮のご造営を記念に、明治天皇の御遑徳を偲ぶと共に、国民体位の向上と士気の振興に資するため、明治神宮祭礼を中心として、国民的運動競技大会を開催することとなり、大正十三年にその第一回大会が、神宮の神前に華々しく開催せられた。その後回を重ねること十四回、昭和十八年で終わったが、わが国運動競技の総合的国民的祭典として、輝かしい実績を残したのである。

私は昭和十二年十一月三日、第九回大会に一般壮年専門家の部の選士として、県代表で出場したのであるが、この大会がきまって、県代表選士の交渉があったのは九月下旬であった。当時私は浜工教諭で剣道の外に国漢を受持っていて、五月に五年生を引率して鮮満修学旅行註(一)に出て、授業に遅れがあるうえに、七月勃発の日華事変註(二)で国内情勢が、緊迫しているので、一応辞退したが、県武徳会支部主事の杉山和民註(三)先生から、他に人がいないからぜひ頼む、との再度の要請があったので、予め学校長の了解を得たので、受けることにした。

『浜剣連だより剣友』第四号昭和五十二年九月十日

【註】

㈠　戦前の浜松工業学校では五年生のときに、朝鮮半島を縦断して満州（中国東北部）を旅する十六日間にも及ぶ鮮満修学旅行を行っていた。ほぼ同時期、浜商や沼商、静商でも鮮満修学旅行を行っていたというが、当時の中等学校で海外への長期間の修学旅行を行うのは珍しいことだったようだ。興味深い取り組みであり、今回これについて調べる余裕がなかったが、後日改めて調べてみたいと思っている。

浜工では、八十周年記念誌『永劫の幸―技術とともに―』（平成七年）によると「鮮満旅行は修業年限が五年になった記念行事として昭和五年の入学生から実施」され、昭和五年度入学生が五年生になった昭和九年を第一回として、十四年まで六回にわたって行われたという。

それにしても、半月にも及ぶこのような大掛かりな、しかも戦闘が起こるかもしれない地域への修学旅行がよく実施できたものだと思う。

この鮮満修学旅行だが、その様子を記した貴重な記録があるので紹介したい。最後の鮮満修学旅行である昭和十四年の修学旅行に参加した中谷節三氏が後年まとめたものである（抜粋）。

旅程は、六月八日から二十三日までの十六日間で、そのうち旅館泊りは七回（京城〈ソウル〉、奉天〈瀋陽〉二回、ハルビン、新京〈長春〉、大連二回）、車中泊りは四回、船中泊りは四回であった。生徒一人あたりの旅費は七十三円十二銭であった。私が卒業して就職した県工業試験場の給料が月約三十五円であったから、その二ヶ月分に当たる。月謝と共に毎月分納していた。この他にみやげ代、小遣いが必要だったので、参加しない生徒もいた。

ハルビンでは防空演習をしていて、更に街は緊張していた。ここからチチハル・ハイラル・満中里とソ連国境に近づく。この時、ノモンハンでは日・満軍は圧倒的なソ連軍に敗退していたのである。白系ロシア人が住みついていて、教会や外人墓地が多かった。

防空演習のサイレンの音を逃れるように、松花江（スンガリー川）に足を延ばした。満州里へ向かう鉄橋の傍には、剣付き鉄砲を持った兵隊が見えたが、川岸には散歩を楽しむ白系露人や、中国服に身を包んだ満人が悠然と河を眺めていた。

私たちの旅も最後の大連・旅順へとまる一日かかって関東州へ入った。日露戦争の時の旅順攻防戦の戦跡巡りである。白玉山・爾霊山《にれいざん》・東鶏冠山・二百三高地などを巡って、乃木将軍とステッセル将軍が会見した有名な水師営で休憩のあと「庭に一本棗《ひともとなつめ》の木」と歌にある大きな棗の木と会見所をバックに、記念撮影をした（中谷節三『落葉松―私の自分史―』〔平成十五年〕私家版）。

中谷氏は剣道部員であり、『落葉松―私の自分史―』にはほんの少しだが剣道部に触れている所がある。

私は剣道部に入った。冬の寒稽古はつらかった。遠いから、朝昼二食の弁当を持って五時頃家を出るのである。

母は弁当を作るために三時頃起きた。人一人通らぬ、夜更けのあの高町の坂道を降りていく時の、自分自身の靴音は今でも私の耳に響いて来る。寒稽古の明ける日には汁粉が出た。このためにつらさを我慢したのかも知れぬ。

なお、浜松工業高校の『我が学舎わが師わが友創立七十周年記念写真集』（昭和六十年）にはこのときの旅程図や写真が掲載されている。

五十周年記念の写真集『浜工の歩み』（昭和四十一年）にも鮮満修学旅行の際の水師営での記念写真などが出ている。

浜商の百周年記念誌『緑芽伸びゆく』（平成十年）にも鮮満修学旅行参加生徒三名の紀行文が収録されている。

㈡　日華事変というのは、一九三七年七月の盧溝橋（ろこうきょう）事件に始まり、一九四五年八月日本の降伏で終わった、日本と中国との全面戦争のことだ。（『日本大百科全書』参照）当時、日本側は支那事変・日華事変・日支事変などとよんだ。

㈢　杉山和民は、武術教員養成所を明治四十三年十二月に卒業。卒業後は旧制静岡高校の剣道教師をつとめた。昭和十五年宮中済寧館における天覧試合指定選士の部に出場している。

思い出（その四）「試合前夜（二）」

県代表選士を受けた上は今までの呑気はできない。しかも大会までに四十余日しかないので、急ぎ準備にとりかかった。平常に十分な稽古ができておれば狼狽することは無いのだが、当時は浜工生徒と週一日の浜師生徒を相手にする外に稽古をしていないので、選士としての自信がない。

考えた末東京で記念にもらった六角赤樫、三尺九寸の振棒を日に五百回、三十日間振って体力をつけることにした。実行に当って昼間は色々支障が予想されたので、夜振ることにした。直ちに実行に入り夜九時がくると、家族を二階に遠ざけ寝静まるのを待って、独り階下八畳間に端座し、雑念を払って一心に振るのであったが、三・七五kg余の振棒を連続三十回五十回と振ることの困難は予想しなかったことで、最初の第一日で悲鳴をあげたのであるが、他に代案もなく折角の計画を挫折するのが残念で、必死の努力続けるうちに次第にらくになって、十月二十五日には計画通り一万五千回の素振りが完全に終わったのである。が、なお宮本武蔵、その他剣道先賢の書を読んで心の備えをしたり、特に日常生活を厳しく規制して、健康に留意するなど緊張の日が続いた。

『浜剣連だより剣友』第五号昭和五十二年十月十日

思い出（その五）「栄光への道（一）」

十一月三日（明治節）午前九時から神宮外苑青年会館で、前日まで行われた各部の優勝決定戦と私の出る一般壮年専門家の部の試合が、行われたのであるが、私は私の試合までには余裕があったので階上の一般観覧席で、非専門部の見応えのない試合を見ながら自分の試合を気迫ある力のこもった立派なものにと、試合態度を決めた。

私等壮年専門家の部の試合は第一回戦は一組しかなく私は第二回戦の第三番で、京都の貞方栄錬士[註(一)]四十七歳と組んだが、上段を得意とする強者で初一本は面をかえして左すりあげを見事にきめたが、第二本は小手を与えて、勝負は面に来たのを右に擦り上げ退く処を突きに攻めると、右手を柄に執ったので、すかさず内小手を打って、小川金之助範士の手が上がった。この試合は私の全試合中最も印象に残ったものである。

第三回戦は石川県教士藤井鶴太郎[註(二)]五十一歳二刀流。面一本を与えたが、胴、突きの楽勝であったが、このときの突きは相手が殆ど倒れるほどの向い突きであった。

第四回戦、準決勝戦は栃木県錬士蓬田喜一[註(三)]四十二歳との対戦はこれも面一本を譲って面、胴の楽勝で何の印象も残っていない。（審判斎村五郎範士）

『浜剣連だより剣友』第七号昭和五十二年十二月十日

【註】

(一) 先生の「栄光への道（一）」には京都の貞方栄錬士とあるが『武道範士教士錬士』（昭和十二年）をみると貞方の住所は東京になっており先生の記憶違いではないかと思われる。この貞方についての詳細はよく分からないのだが軍人だったようだ。

堂本昭彦『修道学院の青春』に、修道学院に入門したばかりの小川忠太郎（範士九段）が、稽古に出向いた市ヶ谷の陸軍幼年学校の道場で、一人の助教から徹底的に痛めつけられる話が出ている。

この助教の名が貞方栄。「特務曹長貞方栄、百人からの助教の中でも抜きん出た遣い手で四段格と評されていた」人で、小川は「この貞方栄という人物は、決まって稽古やめの太鼓が鳴ると同時に私の前に姿をあらわして稽古を所望するのです。これは恐怖でした。稽古のたびに、こんどこそ殺される、というおそろしさでたましいがつぶれました」と堂本に語っているが、貞方栄という名前は『武道範士教士錬士』に一人しか出ていないから、永峰先生の最初の対戦相手は、陸軍幼年学校で剣道の助教を務めていた特務曹長貞方栄だったと考えていいように思う。

(二)　藤井鶴太郎は明治四十二年に「武術教員養成所」を出ているので持田盛二とか斎村五郎などと同じ時期に京都武徳殿で稽古をしていたということになり、従って永峰先生の先輩ということにもなる人物だ。

庄子宗光『改訂新版剣道百年』によると、藤井鶴太郎は昭和十五年六月十八、十九、二十の三日間にわたって行われた天覧武道大会にも指定選士の一人として選ばれているから相当著名な剣道家だったといえるだろう。このときの藤井の職業身分は、石川県警察部、金沢商業、歩兵第三十五連隊剣道教師となっている。

ちなみに、昭和十五年の天覧試合には静岡から杉山和民が指定選士として出場し、府県選士の静岡代表は浜商出身の藤本遼太郎だった。

金沢市立玉川図書館にお願いをして藤井について調べてもらったが『金商董台百年史』『スポーツ石川のあゆみ』等に名前が出てくることと『石川県警察史』に「藤井鶴太郎昭和八年七月二日から昭和二一年三月二七日まで剣道教師として勤められた。剣道七段」とある程度で詳しいことは分からないとのことだった。

なお、中村民雄『剣道事典―技術と文化の歴史―』（平成六年）によると藤井は、武徳会解散直前の昭和二十一年十月に範士を授与されている。

(三)『武道範士教士錬士』によると蓬田《よもぎだ》喜一《きいち》は明治二十八年の生まれとなっている。大会に出場した頃は栃木県の宇都宮中学校に勤務していたようだ。宇都宮市立中央図書館で調べてもらったところによると、明治村梁（現栃木県上三川町）出身で、栃木県師範学校卒業後、宇都宮高等女学校、宇都宮中学校、師範学校の教諭を務め、宇都宮工業高等学校を最後に退職している。

剣歴についてはほとんど分からないが、栃木県下野市出身で、高野佐三郎の弟子の岩瀬鉾太郎（範士八段）との共著で高野が序文を寄せている『剣道随筆』（昭和十三年）を出しているから蓬田も高野の弟子の一人かもしれない。いずれにしても県の代表として明治神宮大会に出場するような人だから剣道の実力者であったことは確かだ。

また、この人は、若山牧水や野口雨情に師事し、歌人や詩人としても知られた人だったようだ。師である野口雨情は蓬田の住む姿川村（現宇都宮市鶴田町）に疎開中に亡くなるが、『姿川村史』（昭和三十四年）によれば蓬田は、同じく雨情の高弟だった泉漾太郎と共に昭和三十三年に「野口雨情詩碑」を建立している。

思い出（その六）「栄光への道（二）」

第五回戦、決勝戦の相手高山常治（新潟）五十六歳は六段教士で体重八十kgを越す堂々たる体格で、信越きっての強豪であった。[註(一)] 審判は斎村五郎範士。私は東、高山は西で、審判の「始め」で立ったが、高山は得意の上段をとらない。互に中段でしばし気の争いであったが、私は（高山が）急に気を抜いて大きく一足退くと、遠間を利して左足を出して、左上段に構えようとした、これを「突」で制して一気に面に打込んだ。これが功を奏して初一本をとった。

第二本め、彼は遠間から左上段で迫って来たが、とくに威力のある上段ではないので、油断があった。軽いが見事な出頭の面をもらった。残す一本が優勝を決めるので、互いに慎重にかまえて、勝負がやや長引いたが、鍔ぜりから退き小手を打った。瞬間審判の手が上がり、同時に斎村範士からおごそかに「勝負あり」が宣せられた。

これで三日間に亘る剣道全試合が終了したのである。私は幸運にも一般壮年専門家の部の優勝者として、会長から優勝賞状が授与せられた。私の感激は一入であった。偏に多くの方々のご鞭撻とご支援のたまもので、県代表選手として終生の感謝である。

『浜剣連だより剣友』第八号昭和五十三年一月十日

【註】

㈠ 高山常治については明治十四年生まれで昭和六年に教士となっている（大日本武徳会編『武道範士教士錬士』昭和十二年）ことぐらいしか掴めなかったので新潟市立中央図書館にお願いをして調べてもらった。

図書館では、所蔵する資料、一般書籍だけでなく明治神宮大会が行われた前後の「新潟日日新聞」まで当たってくれたが、高山常治についての記載があるものは見当たらないとのことだった。ただ、『新潟市体育協会史』に高山常治とは確認できないが

新潟市における終戦前の剣道の中心は旧武徳殿（現在の中央警察署所在地）であり、ここは旧武

徳会より派遣され、専門家の師範がその指導にあたっていた。故鶴巻郷郎範士、故高山教士等が終戦時までその任にあたった。

という記述があるとご教示いただいた。ここにある「故高山教士」というのは高山常治のことだろう。

新潟県剣道連盟にも問い合わせ調べてもらったが「県内の先生方にお聞きしたのですが、高山常治先生については情報がありませんでした」との回答があり新たな情報は得られなかった。

思い出（その七）「栄光への道（三）

表彰式後、新聞記者にとりかこまれたが「別に感想ありません」で、逃れて控室で防具を解いていると、一人の人が来て、「先生、おめでとうございます」といって防具稽古袴を手速くまとめて防具袋に納めてくれたので、厚く謝して宿に帰ったが、この女性は現在東京都に於ける薙刀道最高権威である範士東興子女史であったのである。

その夜は先夜の約束で、二人の友と悠くり祝杯をあげ、翌四日は一枚の賞状をみやげにして、東京を立った。途中静岡に下車して、県庁に寄り、佐久間体育主事に会って大会の結果を報告した処非常に喜ばれて、直ぐに教育部長室に導かれて、浜田部長に会ったが、優勝賞状を見て大変なお悦びで、県剣道最初の栄誉であると、激賞いただいた。尚佐久間主事からは昨日は剣道会場にまわる時間がなくて、失礼しましたとのおことわりがあった。他に武徳会支部の杉山和民先生、大長先生、岡文雄[註(一)]先輩等へのお礼もあったが後日にして夕方家に帰った。家族の喜びは勿論のこと、隣保のよろこびも一方でなく、特に浜工と浜師では学校挙げての歓喜であったが、それから既に四十年の歳月が経った。

『浜剣連だより剣友』第九号昭和五十三年二月一五日

現在でも、剣道は他のスポーツと比べて新聞での扱いは小さいが、先生の優勝記事はその気になって紙面を見ないと見落としてしまいそうなくらい小さなものだった。優勝した翌日の十一月四日「静岡民友新聞」朝刊に載っていたのは、次のようなたったこれだけの記事である。

永峰君優勝／立ち向ふ者を撫で斬り

優勝した永峰氏は北海道に生れ七年前から浜松工業学校の剣道教師をしてゐる六段の腕前であり神宮初出場で優勝等思ひもよりませんでしたがおかげ様と謙遜してよろこびをもらした

剣道に対する新聞社の扱いがそれだけだったといえばそれまでだが、実はそれ以上に大きな理由のあることがその日の紙面を飾っている見出しを見ると良く分かる。「明治の佳節を期して／我猛撃に敵浮足立つ／密雲深く江南の空を閉し／蘇州河戦中央突破」「蘇州河南岸奪取戦塚本機銃部隊奮闘」「蘇州河を紅に染め／壮烈敵前渡河／集中敵弾を物ともせず泳ぐ／本体連絡兵の殊勲」「敵前渡河戦の華小金大尉戦死」といった具合に、当時日華事変とよばれた戦争関連の記事で紙面は埋め尽くされている。

この年、七月の盧溝橋事件[註一]をきっかけに太平洋戦争終了時まで続く日本と中国との戦争が始まっていた。新聞社もその戦況を差し置いて剣道の優勝記事を大きく載せることなど考えもしなかったことだろう。先生が出場した明治神宮大会はそういう時代に開催されていたということなのだ。

先生の優勝は翌日の夕刊（「静岡民友新聞」）にも取り上げられている。扱いは前日の紙面より少し大きい。

帰ったら胴上げだ／永峰晃教士の優勝／神宮優勝のほまれ

昨日、明治神宮大会の最後を飾る三日の明治節の佳き日に堂々剣道壮年の部において当たるを幸ひ薙倒して天晴れ優勝の栄を勝ち得た永峰氏は浜松師範と浜松工業の剣道教授。六段の教士である。永峰氏は京都武専出身で昭和六年来浜。両校に勤務し七年間の永きにわたって師範にあたっており、夫人貞子さんとの間に男二人女四人の子福者である。貞子夫人は「よっぽど運がよかったんです」と謙遜してをられたが、浜松工業では山本又六校長らが送別宴を張って激励しだした甲斐があったと大よろこびで「先生が凱旋したら胴上げするんだ」と生徒らも張りきってゐる。

ただ、紙面の大半は、やはり前日の朝刊同様「太原北方僅に二里半／我軍山西首都に迫る」「東木橋朱江巷猛攻撃／田上部隊健児激戦／壮烈七勇士戦死す」という見出しのもと、日華事変の戦況と戦死者の記事で埋まっている。

【註】

(一) 昭和十二年七月、北京郊外の盧溝橋付近で日本と中国との軍事衝突事件があり、これがきっかけとなって日本と中国との全面戦争に突入した。
盧溝橋はマルコポーロが『東方見聞録』の中で賞賛した橋だ。現存していて観光名所となっている。

(二) 岡文雄、明治二十四年生まれ。岡山県出身で、旧制高梁中学校卒業後武道専門学校に進む。二期生で先生の一期先輩になる。卒業後は旧制静岡中学（現・静岡高校）に剣道教師として勤務。

九　国防色

1　ゲートル

昭和六年（一九三一）の柳条湖事件[註(一)]から昭和二十年の終戦に至る足かけ十五年にわたって戦争が続いたわけだが、先生が明治神宮大会に優勝した昭和十二年は、日本と中国との全面戦争に突入した年であり、しだいに戦時色が国中に強まっていった。

浜工の『創立六十周年記念誌』に寄せられた卒業生の回想に「浜工生の服装は黒の帽子（夏は白の日覆をつける）、小倉の冬服、霜降りの夏服、黒の革靴、巻脚絆は海軍式の白のゲートル、冬服の黒

⑰昭和十一年浜工剣道部員と

に純白のゲートルは当時としては、極めてスマートなもの」で「時代を反映してか、どこの学校でも脚にゲートルを巻いていたが、浜工だけは海軍式の白のゲートルで紐をホックに止める形式で遠くからでも映えて美しかった」が、昭和十三年度の入学生からは「国防色（カーキ色）の帽子、国防色の校服、襟は折襟、国防色の巻脚絆すべてが戦争一色に塗りつぶされて」いったとある[註二]。

　鮮満修学旅行も昭和十四年を最後に行われなくなり、この年に入学した生徒たちが五年生になった昭和十八年秋には修学旅行の代わりに富士の裾野で二泊三日の軍事訓練が行われている。

　こういう時代の中で、剣道教師としてあるいは国漢教師としてどんな日々を送っていたのか。

　小木曽千、高柳輝一、飯尾巴、鈴木哲哉等、浜松地域の剣道界で活躍した教え子たちも大勢いたが、すでにほとんどの方が亡くなっており、今となっては当時のことを知るすべがないといっていいだろう。
そうした中、先生についてうかがえるわずかなものとして、浜工の周年記念誌に掲載された何枚かの剣道部の写真がある。そこにはがっちりとした体つきの、剣道家然とした先生が写っている。
もう一つは『創立六十年記念誌』（昭和五十一年）に掲載された一人の卒業生の回想だ。そこに先生の名前が登場する。といっても名前だけなのだが、これと写真とを併せ考えると浜工時代の先生がかすかにではあるが浮かんで来るような気がする。

　在学当時は、満州事変から日支事変と戦火が拡大した時代ですが、学業以外責任のない私達にはさほど危機感もありませんでした。奉安殿に一礼し武道場で静座、朝礼を終え教室に入りました。二年生までは普通科目の授業を図建組として受けました。鈴木（歴史）、山田（英語）、酒見（数学）、永峰（国語、剣道）、井上（化学）、等思い出多い諸先生方の熱心な授業と暖かい指導を受けました。

【註】

㈠　十五年戦争（前節註四）の発端となった鉄道爆破事件。日本軍の謀略だが、中国軍のしわざであるとして日本軍は中国軍に対して攻撃を加えた。

㈡　ゲートルとは「すねを保護し、また歩行しやすくするための服装品」で「筒状に仕立てるものと、小幅の布を巻き付けるものがある」と辞書（広辞苑）にある。

言葉による説明ではイメージしにくいが浜工の『わが学舎わが師わが友創立七十周年記念写真集』（昭和六十年）をみてもらうと「海軍式の白のゲートル」と「国防色の巻脚絆」の違いもよく分かる。

※写真⑰は中谷節三氏所蔵。

2　浜松大空襲

昭和二十年六月十八日の夜、浜松はアメリカ軍の爆撃機B29百機による大空襲をうけた。[註㈠] この夜、先生は宿直で学校[註㈡]に詰めており、そのときのことを次のように語っている。[註㈢]

その前日は確か日曜日で、お天気も良く空襲警報もなく、わずか一機が昼頃に浜松の空を飛んだ位のもので、十七日も十八日も脚絆まで取って楽な気持で宿直についた。ラジオはつけたままでした。零時は過ぎて間もなく空襲警報のありました時は、敵機はすでに浜工上空におりました。私達は大あわてで脚絆を持ったまま防空壕に飛び込んだ。壕に行く途中、すでに西の空は真っ赤に火の手が上がっておりました。壕で脚絆をつけているうちに、生徒控室と本館のそでになっている教室の境目に、大型の焼夷弾が落ちたのです。ここは五月の空襲で爆弾が落ち倒壊したままになっていたので、被害が大きくなったわけです。（略）

倒壊した校舎が焚付けになって本館に燃え移り、屋根裏を伝って物凄い勢いで北に火が走った。本館が焼け落ちたのはわずか二十分位で、時計は零時四十分を指していた。

この二ヶ月後、日本は終戦を迎えた。

【註】

㈠ 浜松は軍の飛行場や中島飛行機製作所などといった軍需工場（現在のヤマハなども軍需工場でプロペラを製造していた）があったりもしたのでアメリカ軍の標的となり、二十七回もの激しい空襲や艦砲射撃を受けた。浜松の空襲についての記述は『浜松市史三』『浜松戦災復興誌』野口順平『太平洋戦争と浜松大空襲Ｑ＆Ａ』等に拠った。

　当時、三十二万人と浜松の倍近くの人口であった福岡市に投下された爆弾が千五百トンだったのに対し、浜松は福岡の二倍にあたる三千トンもの爆弾が投下されている。浜松への攻撃がいかに激しいものだったのかよく分かる。

　二十七回もの空襲でもっとも大規模な空襲は、昭和二十年六月十八日の夜の空襲、いわゆる浜松大空襲で、Ｂ29百機ほどが襲来して六万五千発もの焼夷弾を投下、市内の七割が焼失したという。先生の自宅もこのときの空襲によって焼失している。

㈡ 大正七年（一九一八）に開校した浜松工業学校は、昭和三十九年に浜松市北区初生町に移転するまで北寺島町にあった。現在浜松市土木部南土木整備事務所やスーパーマーケットバロー北寺島店がある辺りである。道沿いにある浜松中央警察署駅南交番の傍らに「静岡県立浜松工業学校開校之地」と刻まれた石碑が設置されている。

㈢「創立六十年周年記念座談会―戦災と復興―」『創立六十周年記念誌』（昭和五十一年）

第七章　浜松その二（昭和二十年～昭和五十五年）

一　学校剣道の禁止

日本は連合国から示されたポツダム宣言を受諾し昭和二十年八月十五日終戦を迎える。進駐してきたＧＨＱ（連合国軍最高司令官総司令部）はすかさず様々な指令を出した。剣道に対しても「剣道のような精神教育を助長するような昔ながらの運動もすべて廃止せねばならぬ」として、いち早く学校教育における剣道禁止が命じられる[註(一)]。

文部省は「武道（剣道、柔道、薙刀、弓道）の授業は中止すること尚正課外に於ても交友会の武道に関する部班等を編成せざること」とする通達を昭和二十年（一九四五）十一月に出し、続けて同年十二月に「個人的趣味等に基く実施に関しては尚誤解を招く惧《おそれ》あるを以て爾今《じこん》（今後）学生の発意如何《いかん》に不拘（かかわらず）学校内又は学校付属の施設に於ては一切之を実施せしめざること」とする通達を出して、一般人が剣道をするために学校の施設を使用することも禁止した。

さらに翌二十一年八月に「剣道は戦時中、刀剣を兵器として如何に効果的に使用すべきかを訓練するに利用された事実があるので軍事的色彩を一切急速に払拭せんとする今日公私の組織ある団体に於て従来の形体内容による剣道を積極的に指導奨励をなさざるを可とすること」という通達を出している。

それぞれ実に回りくどい表現ですんなりとは頭に入ってこないが、よく読んでみると学校では授業だけでなく部活であっても剣道は禁止。一般の人が学校施設を利用して稽古することも禁止。三番目の通達が一番分かりにくいが、要するに剣道の組織的な活動は望ましくないということだろう。つまり、町の○○道場に門下生たちが集まって、先生の指導の下熱心に稽古することはあまり望ましくない、というようなことが書かれている通達だ。

この持って回ったような書き方はいかにも役人の文書だといえばそれまでだが、別の見方をすれば解釈の幅を持たせたなかなか工夫された文書だともいえる。どういうことかといえばこれらが通達されたときほとんどの人が剣道は禁止になったと受け止めたわけだが、よくよく読めば、一般人が剣道をすることを決して禁止しているわけではないことが読み取れるからだ。

つまり、前二つの通達は学校剣道（学校施設使用も）禁止ということがはっきり示されているが、三番目の通達には「剣道を積極的に指導奨励をなさざるを可とすること」とあって、逆の見方をすれば、剣道を「積極的に指導奨励」しなければ稽古をしてもいい、組織があってもいいと解釈できるのである。決して禁止ではないのだ。そして指令を出したＧＨＱも暗にそれを認めていた節がある。庄子は『改訂新版剣道百年』でこう書いている。

> 昭和二十三年五月二十三日、関東配電本社道場でフェンシング並びに剣道交歓試合と称して、関東一円から多数のチーム及び選手が参加して剣道大会を催した。恐らくこの大会は、全国的に見て終戦後はじめての大会であったと見られる。この大会開催の時の司令部当局との交渉が極め

て振るっている。司令部当局に大会開催の許可を求めたら「許可は与えない」という。それでは禁止するのかと伺うと「禁止もしない」という。では黙認するのかと重ねて訊ねると「そんなことには答えない」とのことなので、それでは当方の責任で行い、プログラムを送るから関心があったら来観を歓迎するというと「ああそうか」との返事であった。この挿話は当時の司令当局の態度と、剣道愛好家の苦心を物語るものである。

いずれにせよ、この三つの回りくどい通達は、剣道禁止を打ち出すＧＨＱの指示に従いつつも、剣道を存続させるためのやり方を巧みに示しているというか、それによって剣道の稽古を暗に奨励しているとも取れる通達だと理解している。そう理解した人たちも少なからずいたと思う。恐らく先生もその一人だろう。

ただ、当時は学校教育の場であろうとなかろうとすべて禁止されたと受け止めた人が大半であっただろうから、文部省の通達の裏に隠れているメッセージを読み取った人たちであっても大っぴらには稽古できなかったに違いない。そうした中、先生は剣道とどう向き合っていたのだろうか。[註(二)]

【註】

(一) 学校剣道の禁止については引用も含め、財団法人全日本剣道連盟『三十年史』（昭和五十七年）及び庄子宗光『改訂新版剣道百年』（昭和五十一年）を参照して記述した。

㈡　剣道の授業も部活としての剣道部もなくなっていた間、先生は表向き書道部の顧問をしていたようだ。昭和二十七年度の浜工の部活動写真に書道部の部員たちと一緒に写っている（『わが学舎わが師わが友創立七十周年記念写真集』（昭和六十年））。

二　剣道の復活

話が少し前に戻る。先生が勤務していた県立浜松工業学校は、昭和二十年六月十八日の浜松大空襲で焼失したため、終戦になると、浜松市葵町にあった旧陸軍第一一三部隊の兵舎跡（現在ホンダ技研工業㈱浜松製作所があるところ）を、当時の校長飯尾晃三が占領軍と交渉して使用許可をもらい、仮校舎としてその年の十二月から使用していた[註㈠]。

　校舎として使用するだけでなく、戦争で被災した職員の住宅としても使っており、空襲によって広沢にあった自宅が焼失していた先生も、数年間ここを仮の住まいとしていたという。先生の一番下の娘さんである質子さんは昭和二十年生まれだから、ここに移った当時の記憶はもちろんないが、物心つくまでの数年間をここで過ごしているのでかすかな記憶はあるという。元は軍の施設だったということもあり市街地からは離れていたし、敷地も広く随分寂しいところで夜などは怖いくらいの所だったそうだ。

　その場所で、学校が移転した昭和二十年十二月からほど遠くない頃に、つまり学校剣道が禁止になった頃から先生を中心とした稽古が早くも行われていたらしい。

一般人の稽古だから、前節で書いたように、稽古していたことについては言い逃れできたとしても、仮校舎とはいえ学校施設を使っての稽古だから見つかれば相当危ういことだったはずだ。先生の場合、見つかっていれば教員としての職を失っていたはずである。

幸いここが「浜松市の中心部から離れた場所でもあるので人目にもつかず、密かに剣道をするには最適地」（『浜松剣道史』）だったこともあって咎められることもなく続けられ、参加者もしだいに増えていったというが、町は焼け野原で食べるものもろくにない時代なのだ。剣道する余裕などあらゆる面からしてないはずなのに先生や参加者たちの剣道にかける思いには改めて驚かされる。

『浜松剣道史』によればこの頃の主な参加メンバーは「桑原進、足立俊雄、倉田留吉、彦坂一彦、渡辺武次、鈴木義雄、内田謙吉、飯尾巴、高柳輝一、内山弘一郎、河合真喜夫、小木曽千、伊藤泰文、鈴木竜郎、内山八束」らだった。いずれもその後、浜松地域の剣道発展に大きく貢献した人たちである。

こうした中、昭和二十三年頃には、浜松剣道連盟の前身というべき組織が、当然非公式の組織だが、県内で最も早く結成されていたという[註(二)]。

同様の動きは全国各地で起きていたようで、しだいに全国統一組織をつくろうとする気運が高まってくる。そうした中、昭和二十五年三月に全日本剣道競技連盟の創立が図られるのだが、進駐軍は剣道という名称を使った団体を認可しなかった。そこで競技連盟を立ち上げた関係者が「熟議を凝らした結果、竹刀を持ってやる競技だから名称を撓《しない》競技とし、用具も昔徳川時代に使用された袋竹刀を使ってみてはどうかということになり、ここで新しいスポーツ剣道を撓競技と称することとし、団体も組織内容はそのままとして、全日本撓競技連盟として出発することになった」（『改訂新版剣道百年』）という[註㈢]。

要するに、撓競技というのは全国組織を作るための方便というか苦肉の策として生まれたものだということだ。

こういう動きに対し「浜松は県下に先がけて、昭和二十五年に全日本撓競技連盟に加盟」（『浜松剣道史』）している[註㈣]。前述したように全日本撓競技連盟の発足は昭和二十五年だから、その発足とほぼときを同じくして浜松も参加していることになる。

もっとも、撓競技という看板を掲げてはいても剣道の方を中心に稽古していたようだ。永峰先生をはじめ、浜松地域の剣道家たちが撓競技連盟設立の意図をしっかり理解していたということだろう。

それにしてもなぜそんなに早く加盟することが出来たのだろうか。もちろんそれが可能だったのは昭和二十三年頃に浜松剣道連盟の前身というべき組織があったからだが、そのこと以上に全日本撓競技連盟立ち上げに積極的に関わった人たちと前々から連絡が取れていたからではないかと思う。もしそうだとすれば当時の浜松でそれが可能だったのは先生ぐらいしか考えられない。先生の剣歴を考えれば、連盟役員に名を連ねている人の大半とは、親しいか親しくないかは別としても相知る人たちであったはずだからだ。

今日、剣道復活に向けて浜松地域の剣道家がどのように取り組んでいたのかについてほとんど知られていないが、これまで見てきたように、永峰先生を中心にして実に熱心にかつ柔軟に、そして冷静に取り組んでいたのだ。先生たちはその努力や苦労について何も語り残していないが、かえってそこに剣道家としての矜持を見る思いがする。

【註】

㈠ 進駐軍の宿舎となっていた旧日本軍の兵舎を借用したいきさつについて、浜松工業学校二代目の校長として昭和二十年十月二十七日に赴任した飯尾幸三が浜松工業高等学校の『創立六十周年記念誌』（昭和五十一年）にこう書いている。

着任した時点での本校の姿は、校舎を始めほとんどの施設設備は壊滅し使用に耐えるもの全く無く、無残な廃墟の中に奉安殿と御臨幸記念碑のみが痛々しく残っていた。職員生徒の一部が校庭の片隅によしずを張って青空教室の授業を受けていた。其他の職員生徒は県立浜松第二中学校（現在の浜松西高等学校）県立浜松機械工養成所（戦時中の施設で現在は無い）及び西遠織布株式会社（浜松市馬郡町）の三ヶ所に夫々分散して統一のとれぬ不自由な勉強をしていた。まことに迷える羊の姿であった。従って先ず一ヵ所に集まってまとまった授業が出来ることがさしあたっての緊急課題であった。

葵町に我空軍の元中部第一一三部隊の兵舎が大体無傷のまゝ残っていた。これは米国進駐軍の宿舎に充てられていたものであったが、一千名に近い生徒の収容可能な施設は市内には他に一つも無かった。やむなく無理とは思い乍ら静岡県駐在の米軍部隊長に直接会って窮状を訴えた所、幸いに即決で使用許可をもらうことが出来た。

　昭和二十年十二月十四日に、この兵舎で初めて全職員が顔を揃えて職員会議を開くことが出来た。そして年が明けて三学期の始めから全校打揃って前庭に集合して喜びあった。

なお、この兵舎について『浜松剣道史』や『浜松市体育協会史』には旧陸軍飛行第七連隊兵舎とあるのだが、飯尾校長が書いたものや『浜松市史四』には「旧陸軍第一一三部隊の兵舎」とありそれに従った。

(二) 剣道をすることが困難だった頃については、『浜松剣道史』（浜松剣道連盟平成十八年）や『浜松市体育協会史』（財団法人浜松市体育協会平成三年）を参照に記述した。

(三) 先生の剣道関係の蔵書は浜松剣道連盟に寄贈され、道場の一階にコーナーを設けて展示されているが、その中に、撓競技に関する冊子が二冊含まれている。文部省『学校しない競技指導の手びき』（昭和二十七年）と全日本撓競技連盟『撓競技規定の解説と基本』（昭和二十六年）だが、いずれも撓競技に関する貴重な資料だ。

　これらに目を通すと、当時の人たちの苦心の跡が垣間見える。例えば『撓競技規定の解説と基本』の「撓競技の特性」には「(三) 一撃必殺とか、肉を切らせて骨を切るとかの戦闘的なものではない。寧ろ護身防御体技活動を習う間に自然に相手の体に生じた隙に瞬息の刹那に巧妙に撓を当て、相手を反省させて導きつゝ得点を挙げる頗る人道主義的で而も興奮的感興の伴う競技である。」「(四) 勝を制しようとして相手の活動を不当に妨ぐる暴力的行為や恫喝的掛声などを禁止し、軽快で、疼痛や怪我の心配がないから小児女子にも愛好される競技である」などとあるが、撓競技が進駐軍の認識している剣道とは全く異なるものであることを必死にアピールするかのような文言になっていることが読み取れるだろう。

撓競技の内容は次のとおりである。

一、使用する撓は従来の四つ割の竹刀とは異なり、全長の先の三分の一は三十二本、次の三分の一は十六本、次は八本というように細かく割り、その全部あるいは鍔から上を、布、革などで包んだ。
二、防具は軽装で感覚的にもスポーツ的なものとし、特に費用を安くすることに主眼をおいた。
三、稽古着、袴の必要はなく、シャツ、ズボンを使用することとした。
四、競技は一定の制限された区域内で行う。
五、競技は時間制を採用し、一定時間内で得点の多少で勝負をきめることとした。
六、一定の行為を反則とし、反則者には罰則を科することとした。
七、足搦み、体あたり、自然発生的以外の掛声を禁止した。
八、審判制を合理化するため三人制とし、その多数決によって採否を決定することとした。

（庄子宗光『改訂新版剣道百年』）

㈣ 静岡県撓競技連盟設立趣意書

敗戦後剣道は学校並に公共関係から除外されたるあたかも全面禁止の如き有様となりました。個人的には許されておりますがそれだけでは到底隆盛になる筈はなく、永い傳統を有する日本剣道も廃絶の恐れがありますので有志相寄り占領軍との了解を計り茲に全日本撓競技連盟を組織し全面的に道具服装を改善近代的スポーツとして新発足する事となり改めてＧＨＱの了解を得ました。そしてこれが普及発展のため各府県撓競技連盟として戦後の荒廃せる人心に一脈の清風を吹き込む計画であります。当県に於ても先に有志を糾合して静岡県撓競技連盟を組織し大に斯道の普及を計り度いと存じますので是非江湖各位の御援助を御願い致す次第であります。

昭和二十五年十一月一日

静岡県撓競技連盟設立発起人

（静岡県剣道連盟『創立五十周年記念誌』）

永峰晃　桑原進　勝瀬光安
小倉孝一　大長九郎　平井稔

三　撓競技と彦坂一彦

剣道が復活した前後の浜松に於いて注目したいのは彦坂一彦である。明治四十一年生まれ。浜松第一中学校（現・浜松北高）において、武専出身の高橋明（永峰先生の一期後輩）から指導を受けた人である。

高橋の勧めと思われるが中学卒業後、武専（十八期）に入学し昭和七年に卒業している。従って彦坂もまた先生の後輩ということになる。恐らく浜松市出身者では唯一の武専卒業者だろう。

卒業後は大阪府堺市の学校に勤務していたようだから、戦後になって浜松市内の中学校教員となったのだろう[註(一)]。

昭和二十四年四月から三十一年三月まで浜松市立西部中学校に勤務しているが、浜松に撓競技連盟が発足すると彦坂は西部中学に撓競技部をすぐに立ち上げている。

今でもそうだが、新しい部を立ち上げるというのは簡単なことではない。新しい部を作ろうとすれば、予算が限られているからこれまであった部の中から一つを廃部にする必要があるわけで、新設理由によほどの説得力がなければ新しい部を立ち上げることは難しい。

　昭和二十年代後半はまだまだ日本全体が貧しかった時代であり、学校予算も乏しく、その中で新しい部活を立ち上げるのは相当難しかったはずだ。袋竹刀をはじめ、防具等は学校の備品として用意するということになるが、撓競技のようなものより先に金を使わなければならないところがあるはずだと他の教員からの突き上げも相当あったのではないか。あるいは、新しい時代を迎えたのにもかかわらず、撓競技と名を変えただけの、戦前の負の遺産のようなものに、ただでさえ乏しい学校予算を使うのはおかしいという声もあったはずだ。にも拘らず誕生したということは彦坂がよほど熱心に動いたからだろう[註(二)]。

　このとき彦坂が立ち上げた西部中学撓競技部の写真が、昭和二十九年度（昭和三十年三月卒業）の西中卒業アルバムに載っている。これを見れば、撓競技というものがどういうものだったのかが一目瞭然となる写真だ。浜松で行われた撓競技を撮影した数少ない、実に貴重な写真だと思われる。

　彦坂の取り組んだ撓競技がその後市内の中学に広がっていったというわけではないが、たとえ一部の中学校であったにせよ、撓競技が行われていたことは、浜松における剣道復活に我々が考える以上に寄与していたのではないかと思う。

　例えば浜松北高では昭和二十八年（一九五三）四月に、三人の生徒の積極的な働きかけによって撓競技部が正式に発足しているが、この三人の中の一人は浜松西部中学の出身だから彦坂の教え子だ。彦坂は部発足後、師範として週に一回程度北高で指導しているが、早い段階から教え子の相談に乗っていたに違いない註㈢。

この撓競技部だが、北高剣道部の『創部百年記念誌』に「当初、撓競技部として発足した以上いくつかの撓競技防具があり、部員も袋竹刀を一本ずつ持ってはいたが大部分の生徒は剣道具をつけ、竹刀での稽古であった」とあり、また「二十八年八月の文部省通達による学校剣道解禁で九月から晴れて剣道部を呼称することが許され、約八年間のブランクの後剣道部が復活し、撓競技部だった看板も剣道部道場に掛け替えた」とあるから、撓競技と並行してというよりも剣道中心の稽古をずっとしていたのだろう。

⑱西中撓競技部

彦坂の撓競技を通じた取り組みは、若い人たちの中に剣道復活のための種を蒔いていたということであり、それがしっかり芽吹いていたということだろう。北高における撓競技部立ち上げの顛末がそれをよく物語っている。彦坂の果たした役割は大きかったと思う。

彦坂は身体の大きな人で、体重も百キロ近くあったというから当時とすれば群を抜く体格の人だったろう。永峰先生は彦坂の剣道を高く評価していたという。

渡辺武次（範士七段）は第八回全日本選手権にも出場した実力者で、長い間浜剣で後進の指導にあたった人だが、村木昌弘さん（教士七段）や斉藤軍次さん（教士七段）によると、渡辺はしばしば「永峰先生が彦坂さんと稽古するときには剣尖をピッと中心につけて自分らに稽古をつけるときとは全然違う。ああいう風に稽古をつけてもらえるようになりたい」と口にし、半ばは悔しがり半ばは羨ましがったというから、彦坂の剣道がどのようなものであったかよく分かる。

彦坂は西部中学で剣道部を立ち上げた後、転勤先の中部中学や積志中学でも剣道部を立ち上げている。斉藤さんは西部中学、村木さんは積志中学のときのそれぞれ教え子だ。このように彦坂は浜松市内の中学校剣道の普及に大きな足跡を残した人である。

彦坂が病のために亡くなった（昭和四十年代前半だという）とき、質子さんによれば先生は非常に落胆していたという。

【註】

㈠ 平岡勇三編『昭和十二年武道範士教士錬士名鑑』によると彦坂の住所は堺市になっているから、武専卒業後は堺市辺りの中学校（旧制）に勤務していたのではないかと思う。

㈡ 浜松市立西部中学で彦坂の指導を受けた斉藤軍次さんが入学した頃（昭和二十八年）学校には武道場がなく、撓競技の練習は校舎と校舎の間で靴を履いてやったそうだ。教えるのは彦坂ではなく先輩だったという。

剣道を練習するようになったのは二年生のときからで、正門を入ってすぐ左手の、今昇降口になっている辺りに武道場が出来てからのことだそうだ。武道場ができてからは彦坂が剣道を指導したそうだ。ちなみに斉藤さんは中学在学中に初段をとったが、当時、中学生が初段をとるというのはめったにないことだというので新聞に取り上げられたという。

㈢　撓競技部発足のいきさつは浜松北高校剣道部『創部百年記念誌』（平成十年）に出ている。この『創部百年記念誌』に撓競技に関する面白い話が載っている。ある卒業生の回想だが、撓競技で使う袋竹刀は、四つ割の竹刀とは異なり、全長の先の三分の一は三十二本というように細かく割ってあったから「袋竹刀でのメンは剣尖が妙に撓り、後頭部が痛かった」とある。

確かに竹刀と袋竹刀とではそのつくりからして撓り方が相当違うはずだからあり得る話である。撓競技の経験者でなければ分からないことで興味深い。西部中学の卒業アルバム写真の面打ちなども、もっと深かいところを打っていたら、剣尖が後頭部に届いていた写真となったかもしれない。

㈣　前出の人たちから聞いたところによると、昭和三十五年（一九六〇）第八回全日本選手権に県代表として出場したことのある渡辺は試合巧者で、彦坂と試合をすれば分がよく、彦坂もそのことを認めていたという。

※　写真⑱は西部中学校のご協力により昭和二十九年度（昭和三十年三月卒業）の卒業アルバムから撮影させてもらった。

四　浜松剣道連盟と永峰先生

戦後の浜松の剣道は前述のように、先生を中心として浜工の仮校舎で始まったわけだが、浜松撓競技連盟（実態としては浜松剣道連盟）が発足してからも専用の道場というものがなかったから、戦後いち早く稽古を始めていた国鉄工機部の道場[註(一)]に参集して稽古していたという。『浜松剣道史』にこう記されている。

> 昭和二十五年、浜松の実業団では浜松市西伊場町の国鉄浜松工場（現ＪＲ）工機部道場において橋喜代造、河野博、相曾喜三、榊原勝司、水谷静雄らによって、しない競技と剣道が開始された。実際は剣道の練習が主体で、後に浜松剣道連盟の会員多数をはじめとして、磐田の堀田周、増田清なども稽古に参加した。

工機部というのは、浜松市中区南伊場にあって新幹線車両の検査を行っているＪＲ東海の浜松工場のことだ。鉄道院浜松工場として明治四十五年（一九一二）開設されたというから百年以上の歴史をもつ車両工場である。

昭和十七年（一九四二）に鉄道省浜松工機部、昭和二十四年（一九四九）に日本国有鉄道浜松工機

部と改称されている。戦中から戦後にかけて工機部と呼ばれていたから、年配の人は今でも工機部という言い方を普通にするし、もしかしたら市内の人であれば若い人にも工機部という方がとおりがいいかもしれない。

浜松西高の傍らの坂を下ってくると雄踏街道に出る。それを渡った左手角の所は「伊場通り公園」という小さな公園になっている（それ以前は交番があった）が、当時、その東側一帯は工機部職員の住宅が立ち並んでいるところで、その一角に工機部の道場があったらしい（交番のあった辺りという人もいるし、もう少し東側で今「ワークマン西伊場店」という店がある辺りだという人もいる）。

工機部の道場は大人だけでなく高校生も顔を出していたようで、鈴木秀治さん（教士七段）によると、高校の先輩で、国鉄に勤めていた橘喜代造などが工機部の道場で稽古をしていたということもあり、学校の稽古が終わった後にここでも稽古したという。吉林時政さんなども高校生の頃からこの道場で、永峰先生に稽古をお願いしていたと聞く。

『浜松剣道史』に「昭和二十七年から三十年頃までは、浜松北警察署（市役所西側にある「家康公鎧掛松」後方辺りにあった。後に焼失）の道場も一時期借用し、夜間週二回の練習を実施した」とあるが、先生を中心として浜剣の会員たちが自前の道場がなくとも実に熱心に稽古していたことがよく分かる。

そうした中、当時の浜松剣道連盟会員の努力により専用道場が建設されたのは昭和三十二年のことだった。この経緯は『浜松剣道史』に詳しいが、当時のことをよく知る鈴木秀治さんによれば、専用道場建設までには関係者の大変な苦労があったという。

　昭和三十二年、浜松剣道連盟事務局長の内田謙吉（当時市内の中学校長）を中心とした道場建設期成同盟の四年間にわたる粘り強い努力と資金集めが実って、浜松市から小学校の廃校舎の払い下げを受けることが出来た。

　同時に建設場所も、浜松市利町（現在の浜松復興記念館の場所）に、戦後の浜松市役所仮庁舎の一角にあった約百十三坪（三七四㎡）の土地を市から借用し、念願の会員専用の剣道場が完成した。

　このときの資金は、浜松剣道連盟会員ばかりか、一緒に練習していた磐田市、浜北市、天竜市などの剣道愛好家からも支援を受けた。

　建物は中古建築ながらも、二階建て延べ九十七坪（三二〇㎡）で、稽古場が、間口八間、奥行き五間、武者所一間で、二階には六畳と四畳半の和室があった。

　これを機に、浜松市における剣道は近隣の磐田市、浜北市、天竜市を始め西部地区の剣士のほか、市内の高校生も参加し、毎週火、木、土三回の稽古日には、手狭な道場内はいつも満員で活気に満ち溢れていた。

　道場には、地元の永峰晃、桑原進、倉田留吉、足立俊雄、彦坂一彦、渡辺武次、西原碧、鈴木義雄、垣内彦太郎、飯尾巴、高柳輝一、内山弘一郎、安藤明、京極安太郎、箕浦金次、小木曽千、

内田智康、松家正次郎、河合真喜夫、松下太三、鈴木哲哉、田山晃三、榊原勝司、若手では吉林時政、鈴木秀治、齋藤軍次、新川国徳など、浜北市からは河合多三、木下兼雄以下数名、磐田市からは堀田周、増田清、平野洋一、田中正、鈴木雪雄、村松俊男、杉山耕男、天竜市からは所晋、大石勝、内山八束、以下数名、引佐からは間宮邦彦などなど、まさに多士済々の高段者が毎回入れ替わり立ち代わりこの道場を来訪し、ここが西部地区の剣道の一大拠点となった。

（『浜松剣道史』）

今、手元に、メモ程度のものではあるが元磐田剣道連盟会長の堀田周（教士七段）が書いたものがある。[註二]

その中に、現在の浜松復興記念館辺りにあった浜松剣道連盟道場における稽古風景が記されている箇所がある。昭和三十年代の稽古の熱気が伝わってくるもので貴重な記録でもあり紹介したい（メモのようなものなので、文意が不明瞭なところが何ヵ所かあり、そうした箇所には手をいれてある）。

その頃の浜剣の道場は五社神社の直近にあり狭かったが、永峰先生以下、先生方（七段級）が元立ちとして十人位並ばれた。この先生方を上手から又は下手からお願いしていくのだが、なかなか全員にお願いすることは大変だった。

小生の場合、いつごろか覚えていないが、細江の小木曽先生（当時六段）がいつも小生が面をつけ終わるや目の前に立って居られたが、これは小生の生まれが細江で、明治堂薬局を経営される先生のお住まい（細江の本通り）の裏側であったことなどから特別に目をかけていただいたのだと思う。

指導者の中で一番若い渡辺先生が兄貴のような年齢であり師であった。正規の稽古後、十五、六人が残って渡辺先生から一時間近く指導を受けた。さらにその後、三十分位先生と試合形式で稽古をつけてもらった。

後年、この居残りグループを渡辺教室と呼ぶようになったが、年長が小生（大一一）、鈴木哲也（大一四）、吉林時政（昭一三）、鈴木秀治（昭一四）、斉藤軍次（昭一六）など当時五段の若い剣士たちが頑張っていた。

昭和三十三年十二月までは段位は五段まで。その上に錬士、教士、範士の称号があったが、改正で十段制となり称号は別途となった。渡辺先生は教士で新六段となり、小生等錬士クラスは五段で六段をとらなければならなかった。

正規の時間の最後は永峰先生が武専後輩の高弟[註(三)]と稽古をされ、先生は上段（右片手上段）が多かったが、早く先生に上段をとらせる稽古が出来ればと口惜しく思っていた。

その夜の三回目の試合稽古で、渡辺先生得意の左足を出しての大きな面を打たれ続けた。何とかせねばと工夫した結果、先々の小手を決めることが出来た。稽古が終わった後はいつも渡辺先生のお店「千石寿司」に寄り、一杯やりながらその夜の剣技の話になるのだが、小手が決まった夜「千石」で渡辺先生が「ヤッタナ」と云われたのを今でも覚えており、先生に絞られなかったら世に出なかった技だったかもしれない。

【註】

㈠ 浜松は軍事施設や軍需工場があった関係で激しい空襲や艦砲射撃にさらされ、工機部の建物も空襲や艦砲射撃によって破壊されている（破壊された工機部の写真が『浜松市史三』に掲載されている）のだが、道場は辛うじて破壊を免れたものらしい。

㈡ 堀田周。旧制見付中学（現・磐田南高校）で武専出身の山下正実（永峰先生の一期後輩）の指導を受ける。戦後、磐田地区の剣道復興に尽力。磐田剣連会長を務めた。

㈢ 高弟とは彦坂一彦のことだろう。

五　ヤマハ男子をつくる

戦前は誠道館のような個人の道場はあったが、現在の浜松剣道連盟のような組織も専用道場もないから、永峰先生の稽古は浜松工業学校や浜松師範学校での指導稽古が中心だった。

それに対し戦後は、興誠商業高校（現・浜松学院高校）、日本楽器製造㈱（現ヤマハ㈱）、浜松剣道連盟というように様々な人たちへの指導へと広がっていく。

日楽では、剣道がまだ大っぴらには稽古できない頃から一部の社員が密かに稽古をしていたようだ。

そうしたこともあってか、正式に剣道部が創設されたのも市内では国鉄工機部と並んで早く、昭和二十五年に発足している。

会社創立者の山葉寅楠は和歌山藩士の家に生まれ、子供の頃から小野派一刀流の稽古に励み、それによって培われた不撓不屈の精神を以て会社を成功に導いたといわれる。そうしたことからもともと「社内には剣道に対しては特別な思い入れがあったよう」だと、日本楽器剣道部がいち早く発足したことの背景について『浜松剣道史』は推測している。

「社内には剣道に対しては特別な思い入れがあった」ことは、中堅ヤマハマンの養成のために、昭和三十八年「ヤマハ技術研修所」が開設されたとき、一般教養の授業の中に、週一回二時間剣道が取り入れられたことからもうかがえよう。

今年になって、朝日新聞静岡県版に連載中の「遠州考」にヤマハが取り上げられた。その第一回（令和二年一月二十日）に「寅楠の生涯には徳川御三家の士族出身という矜持が感じられる」とあるが「遠州考」の言葉を借りていえば、その「ヤマハのDNA」と、研修所のカリキュラムに剣道が取り入れられたことには大いにつながりがあるのだろうと思う。

この研修所の剣道講師を永峰先生が務めたわけだが、その経緯や剣道の指導の様子については先生自身が『研友会十五周年記念誌』に次のように寄せている。

（前略）ヤマハ技術研修所が設立されたときに三森主事から「ヤマハ男子を作ってくれ」と言われ、

一般教養科講師の辞令をいただきました。当時の剣道教育は、八月から開始して、翌年一月までの六ヶ月の教育でありまして、毎年一月に奥山の臨済宗方広寺で、一泊二日の合宿修養会が行われて終了するのでありました。この厳寒時の修練は朝は午前五時二十分起床で、五時四十分には、本堂を少し離れた三重塔の広庭に集合して、現在の基本程度の剣道を素面素小手で、メン、コテ、ドウ、の掛声勇ましく気合一ぱい行うのは実に壮観でありました。（後略）

もう一つ、先生の言葉を紹介する。研修所の十四期生の卒業にあたり送った言葉だ。

　ヤマハ技術研修所第十四期生諸君のご卒業を心からお喜び申し上げます。

　二年間の研修は本務の傍ら、夜間の勉強でありますから、その困難は一方ではなかったことと思いますが、そのうちでも剣道はその最たるものであったと思います。然しこの剣道は研修所教育の基本としてとりあげておるもので、質実剛健な人間作りが目的であります。

　諸君もご承知でしょうが、山葉オルガン第一号の失敗に失望せず、第二号を造り上げて見事成功の金的を射止めた、山葉寅楠の不屈の精神は彼が少年時代に、小野派一刀流の剣道の修練によって体得したもので、これが即ちヤマハの伝統で、今日の大ヤマハの源をなすものであります。（後略）

ヤマハと先生の関わり合いは研修所だけではない。研修所開設以前からヤマハ剣道部の師範としても指導に当たっている。

研修所や剣道部における指導の様子については、ヤマハの社員であり、先生の弟子として稽古に励むと共に、助手として研修所における指導に携わった福井髙三さん（教士七段）が最もよくご存じで『私の見たヤマハ（日楽）剣道部の歴史』として冊子（この冊子は、資料として一部の人にだけ配られたもので、従って公刊されたものではないのだが、ご厚意で読ませていただいた）にまとめておられる。

この冊子は、ヤマハ剣道部や研修所における稽古の様子が詳細に記され大変貴重なものだ。また、福井さん自身の剣道修行についても触れているところもあり、先生の指導がどういうものであったのかが自ずと伝わってくるものである。福井さんの了解を得てその一部を転載させてもらった。

> 私の入社は昭和三十四年で、まだその頃は厚生会館もなく、中通りは砂利道で七号館あたりは更地、寅楠翁の銅像があった。三号館、四号館は鉄筋コンクリートで二階、三階建ての建物には砲弾の跡があった。日本楽器は戦時中やむなく飛行機のプロペラなどを作っていたので軍需工場として砲撃を受けたもので痛々しく思えた。現道場のあるヤマハ厚生会館のところは、倉庫のような平屋の建物があり、外から見て床の光っているところがあった。そこで剣道をやっていた。
>
> この頃は、加瀬製造部長や大浜工作課長など錚々たる人たちが中心になり稽古をしていたよう

で鈴木隆治、河合勇次郎、戦争帰りの、守衛をしていた杉浦、高井、それに田中などの名を耳にした。

昭和三十六年頃、倉庫道場跡地はヤマハ厚生会館として建設された。二階に食堂、三階には武道場があった。

その後、三十七年頃武道場の入口のところで、覗き見をしていた私に永峰晃先生が「道場に入って見なさい」と言ってくれた。入ると半分は畳が敷いてある柔道場であり、半分は床板の剣道場になっていた。畳の上で見ていると先生がご自分の竹刀をもってこられて「振って見なさい」と言って握り方や、構え方を教えてくれた。こんな出会いがあって、私は剣道を始めた。

私が道場に顔を出した頃は、大浜課長が剣道部の世話役のようなことをしていた。鈴木隆治、河合勇次郎、倉田、杉浦、高井、佐久間、神村、稲川、石川など多くの人が稽古をしていた。剣道具は先輩の残したものや備品があり借りて稽古をした。稽古日には、なるべく稽古に行きたい、先生が待っているので時間や仕事を計画的にするように工夫していた。

道場にいけば先生は、他の部員の稽古の傍ら、文字通り手取り足取り教えてくれた。昔の指導は「見て覚えよ」でしたが私は、その都度その都度、適切に指導頂いていた。

昭和四十六年に五段に昇段したその後は「五段があればよい」と思っていたし、研修所の授業で基本や教え方を学び、安心や慢心があった。仕事もなお忙しくなっていた。

そんなときの剣道での稽古は、食事後の休憩時間に上着を取り、小手を付けて永峰先生に切り返し、打ち込み稽古をお願いし、五分と持たないことが幾度もあった。

普通の稽古も、先生にお願いすれば相手にならない。面を打っていけば返される。小手を打っていけば外され、横面を打たれる。胴などを打たれると防具を着けているのに、一瞬息が止まるほどの胴を打たれた。思い切って打って行ってもそこにはいないで軽く捌かれてしまう。打って行けば先に面の上に先生の竹刀がある。思い切って面に行けば、胸突きを突かれるし、カウンターに喉を突かれる。

何度となく鎖骨や肋骨にヒビが入ったこともあった。一ヶ月ぐらいで治るが息を吸うにも痛い、シップするしかない。少しおいて稽古はするが「突きなどは乗り越えて来い」と言われる。

こんな稽古と掛り稽古、打ち込み稽古が続くときなどは、小便は醤油を少し薄めたようなものが出た。これも続くことが多かった。

あるときの掛り稽古、打ち込み稽古で疲れてフラフラになり、それでも打って、打って、打っていった。もうただ打つだけ、無我夢中。今までは「こういこう、こう打とう、打っていけば返されるのでは」など考えていた。フラフラになり考えることもなく、目を瞑るような、ただただ打つ、思い切って打つ、自然に出たような面が入った。

打たせてもらったものだが、このとき「よし」と先生の声が聞こえて稽古が終わった。フラフ

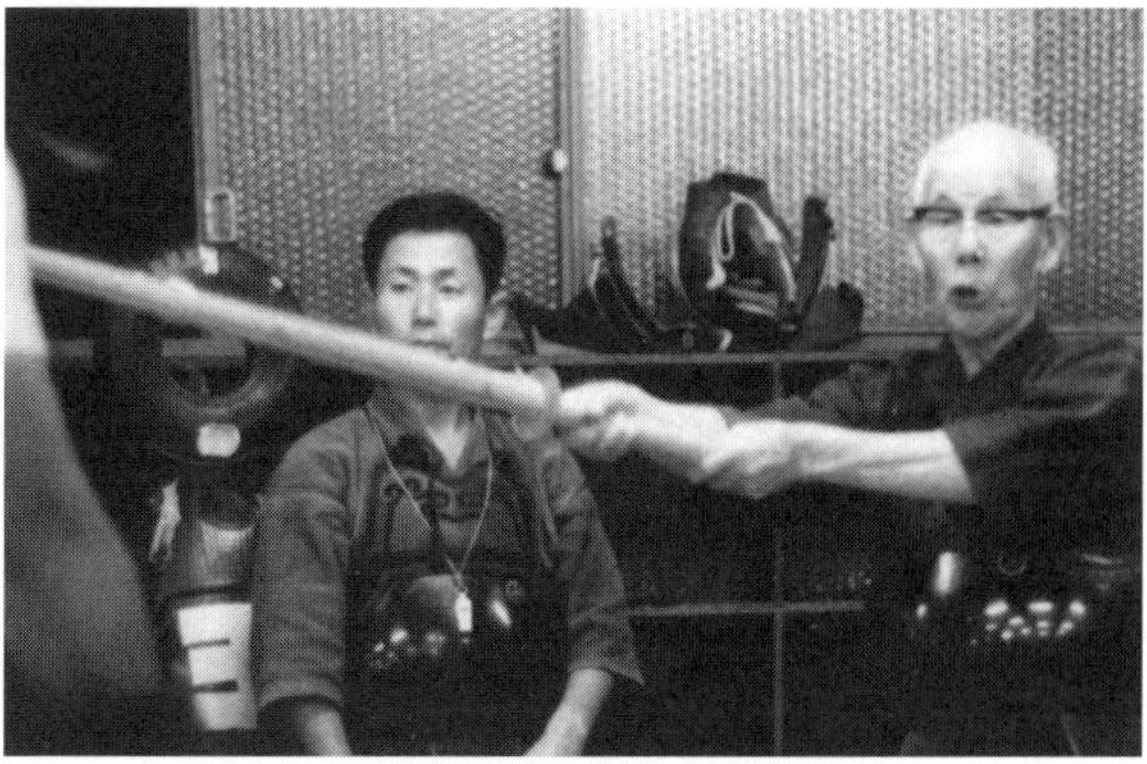

⑲ヤマハ道場での指導

ラしながらやっと終わったと思った。そんな稽古があり少したってからやっと辛い稽古と「よし」の意味が解った気がした。無心で打った「我欲のない打ち、我を捨てる稽古」であった。

これは福井さんの個人的な体験を綴ったものではあるが、ヤマハ剣道部における先生の指導とそのまま重なるものであろう。先生のこうした指導によってヤマハの剣道部からは福井さんのみならず多くの高段者が誕生している。その中でも特筆すべきは、平成二十二年（二〇一〇）五月の八段審査において部員である川邊省司さんが合格していることだろう。浜松市からの八段誕生は昭和三十五年（一九六〇）の永峰先生以来五十年ぶりのことである。

【註】

※　写真⑲は宮城質子さん所蔵。

六　興誠高校剣道部

先生は昭和二十四年に浜松工業高校を退職するとそのまま講師として学校に残る。しばらくして浜松機械工業技能者養成所長を兼ねて国華精工株式会社に勤務している。[註(一)]

その後、昭和三十一年に興誠商業高校（現・浜松学院高校）の剣道部師範に就任するわけだが、そのいきさつについては、元興誠学園理事長の和田清が「興誠剣誠会」（剣道部ＯＢ会）発足時にそのあいさつの中で述べている。

　昭和二十九年に剣道部を復興したが、岡野先生が学長・校長にて就任した三十一年までの二年間は不備な条件の中で練習していた。私は過去の輝かしい実績を持つ興誠剣道部の再興を鈴木甚一理事長と岡野校長に進言した。私の熱心な提言をお二人は聞き入れられて、直ちに荒れていた道場の改修に年をかけられ、また防具などを整備していただいた。加えて県内最高の剣士であり指導の第一人者である永峰晃先生を教師に招いていただくことになった。昭和三十一年六月のことである。このようにして一挙に体制が整い剣道部の再興は、軌道に乗った。

剣道部ＯＢである斉藤軍次さんに聞くところによると、昭和三十一年に入学したときにはまだ剣道

⑳昭和四十四年興誠剣道部

部はなく、週一回授業として剣道があったという。この週一回の剣道の授業は、興誠の卒業生で市会議員を務めた剣道部ＯＢ松下太三が講師として教えていたが、永峰先生が勤務することになったので先生と交代したという。先生は剣道だけでなく、当時設置されていた中等部で国語も教えていたらしい。

斉藤さんと和田の話は、剣道部の発足時のことに関して少し異なるのだが、県高体連の機関誌『高校の体育[註(二)]』第四号（昭和二十九年度）をみると、西部地区の高校で剣道部が高体連に登録されているのは六校（池新田、横須賀、三ヶ日、浜松北、浜松西、浜松商業）だけで興誠は登録されていないから、同好会レベルの剣道部はあったかもしれないが、正式に剣道部として発足したのは、斉藤さんの話にあるように永峰先生がみえた昭和三十一年のことなのだろう。

それはともかく、永峰先生の赴任がきっかけとなって剣道部再興の気運が高まり、教員の和田清や卒業生の松下の尽力により剣道部が正式に復活し、三年生から一年生までの十数名が最初の部員として先生の指導を受けることになる。

このとき先生は六十一歳と若いから稽古は大変厳しかったという。剣道を知らない人はこの年齢を若いと表現することに首を傾げるかもしれないが、剣道は一般のスポーツとは異なり、六十歳代はバリバリの現役といってもいい。七十代でも、二十代三十代の若手を手玉に取るような人が何人もいるのが剣道の世界だ。

斉藤さんと同期で剣道部ＯＢ会の元会長だった高井宏昭さんにその頃の話を聞くと、高校は高台にあるから大抵の者は坂を下って帰ることになるわけだが、稽古が終わって帰るときは、その坂を這うようにして下ったというから稽古の厳しさは想像できよう。

その稽古内容だが、先輩方の話を聞いても自分が高校生だった頃の稽古と大きな違いはないようだ。他の高校がその頃どういう稽古をしていたのか知らないが、自分たちの場合は、神前への礼のあと準備体操、素振りを行い、それが済むと面をつけての稽古となる。まず切り返しということになるが、この辺りまでは今でも同じようなものだろう。

しかし、この後の稽古が今からすると実にシンプルなものだった。時間で区切ったのか本数で区切ったのか覚えていないが、先ず大きな面打ちを行い、これが済むと今度は小手面打ちを、面打ち同様大きく行った。五十年以上前のことなのではっきりとは覚えていないが、差し面といわれる面打ちやちょちょんと渡るような小手面打ちは稽古の中ではやらなかったように思う。

基本打ちはひたすら大きく面や小手面を打つというだけの稽古だった。胴を打つ稽古というのもしなかったように思う。

出頭面とか出小手といった技は多少稽古したような気はするが、応じ技などを稽古したという記憶はなく、先輩の稽古や試合を見て覚えたように思う。抜き胴、応じ返し胴といった胴技や引き技の稽古は全くやらなかった。[註(三)]

そんな練習が終わると今度は掛り稽古である。時間で区切る掛り稽古ではなく、上級生の元立ち任せの掛り稽古だ。終りが見えない掛り稽古はきつい。三十秒経ったら笛が鳴るというような掛り稽古であっても苦しいには違いないが、三十秒頑張れば終わるという思いが踏ん張る力を与える。いつ終わるか分からない掛り稽古はつらい。しかも掛り稽古に充てる時間が長かった。

とにかく、掛り稽古と切り返しはずいぶんやったように思う。夏の合宿などは稽古時間のほとんどが切り返しだけだったし、寒稽古も切り返しと掛り稽古だけだったように記憶している。

掛り稽古が終わると地稽古となり、先生も防具を着けてもとに立ち我々に稽古をつけてくれるのだがこれがまたきつい。切り返しから入って打ち込み稽古になるわけだが、打ち込ませる機会の与え方が絶妙で、あっという間に息をあげられてしまうのだ。また最後に切り返しを行って終わるわけだが、フラフラになってきたからといってそこですぐに切り返しとはならない。生徒が力を出し切ったかどうかを見極めたところでようやく切り返しとなり、大きく正面打ちを行って先生との稽古は終了となる。五分とはもたなかったと思う。

礼をして下がればその場でしばらくはうずくまったまま立ち上がれなかったことをよく覚えている。

その日先生に稽古をお願いした者は皆同じだ。その頃先生は七十七、八歳だったはずだ。先生のその年までにはまだ間がある身だが、それでも元気な男子高校生を相手に先生のような稽古のつけ方はとてもできない。

これは最近になって四、五歳年上の先輩から聞いた話だ。

「あれはいつだったか、興誠の道場に何校かが集まって練習試合をしたことがあったんだ。試合が終わって地稽古になったとき、誰が言い出したか、これだけ人数がいるのだから、次から次へと先生に掛かって参ったといわせようということになった。先生はそのたくらみに直ぐに気付いたんだろうな。稽古の付け方が普段よりも厳しい。掛かる奴、掛る奴みんなあっという間に息をあげられてしまってヨレヨレ。ひどい目に合った。」

【註】

(一) 浜松工業高校を退職したばかりの頃の先生の動向については「月刊日本武道新聞」(第九七号昭和三十七年七月二十五日発行)に、「新範士の顔」として紹介されている記事に拠ったが、浜工の記録では昭和二十九年まで勤務となっているから、退職後も講師として二十九年三月まで勤務されていたのではないかと思われる。

(二)『高校の体育』は現在も年一回発行されている県高体連の機関誌だ。これには各運動部一年間の活動結果(活動の様子や試合結果などが東、中、西ごとに報告されている)が掲載されている。

創刊号は昭和二十七年（一九五二）四月に出ているが、この創刊号に掲載されているのは昭和二十六年度の記録だから、まだ禁止が解かれていない剣道は出てこない。剣道が登場するのは昭和三十年発行の第四号からである。東中西の簡単な活動報告が掲載されているだけのものだ。なぜかこのときのものは西部だけ剣道部だけでなく他の部活についても浜商運動部の活動報告になっている。

　本部は本年度新しく発足して第一回大会を五月開催した。成績は団体では大仁高、沼津商高、三島南高の順で、個人では塩谷（大仁高）、大川（大仁高）、堀越（沼津商）の順であった。参加選手一同真摯な態度にて予期以上の成績を収めた（東部）。

　本年度新設された部であり、未だ幼稚の域を脱しない。生徒も一人歩きの出来ない状態であるが、各校とも顧問の先生方の御努力で熱意ある試合が行われたことは喜ばしい限りである。各校ともよきコーチとなる先生方が少ないにも拘らず、先輩の指導又は各人毎に研究して呉れたことは同慶の至りです。あく迄も末節にとらわれることなく、基本に専念して今後精進され度い（中部）。

　柔道部と同様明治時代より活発な活動を続け、大正昭和と戦前まで浜商剣道部の存在は県内外に大きな地歩を占めていた。特に昭和十年前後にかけては内山弘一郎君の出現に及んで往く所敵なく、県内は勿論当時の神宮大会でも存分の働きをしたものである。

　戦後は大分立ちおくれ、本年始めて再建されたわけであるが、現在県スポーツ祭に優勝した九鬼理二段、金沢初段等が中心になって剣道部再建に努力している（西部）。

五号は中部からの報告（「全国高校剣道大会の印象」）のみだが、そこに撓競技と剣道の関係についてなかなか興味深いことが記されているので参考までに載せておこう。

　参加チームの中に技術的に高いレベルのチームがあったことに触れ

例えば本大会優勝校福岡嘉穂高校又は秋田高校、千葉安房高校、愛知中京商高等その伝統のしからしめる点もあろうかと思うが、その地元の熱意と新制中学時代の撓競技選手ではなかろうかと技術を通して推測される。中京商高の恵土君等小柄であるが、いきもつかない連続技と体さばきと試合の運び方は、高校進学後の剣道だけでは体得出来難い技である。（中略）撓競技で育った剣道は引揚げがない。引揚げをして試合に区ぎりをつけているところをぽかぽか撃って来る等我々は此の点も十分研究する必要がある。

などと撓競技を前向きに捉えた感想が述べられている。今日、全国レベルでも地方レベルにおいても撓競技について取り上げられることはほとんどなく、剣道復活に果たした役割について看過されているように感じているが、これを読んでみても果たした役割や剣道への影響は決して小さなものではないように思う。

六号には剣道の報告はない。七号（昭和三十二年度）の『高校の体育』には加盟学校の各運動部指導者一覧が出てくるが、西部地区の剣道部顧問として、池新田（高井利雄）森（鈴木雪雄）浜松北（鈴木保彦）浜松西（杉山秀夫）浜松工業（飯尾巴）興誠商業（永峰晃）の名前が載っている。

この『高校の体育』は各高校に毎年配布されるからどの学校図書館にも揃っているはずなのだが、創刊号からすべて揃っている高校はどうもないようだ。

各市町の図書館にもバックナンバーがすべて揃っている図書館はないようで、調べた限りではすべて揃っているのは県立中央図書館だけだった。

（三）　村木昌弘さんは高校生の頃、先生から「胴技は使うな」という指導を受けたという。それは胴技が面に打ってくるところを返して打つ、あるいは応じて打つという後の先の技だから、攻めて相手に面を出させなければならないが、初心者にはそれが難しく、待ち剣になりがちで上達を妨げるということからのようだ。

我々のところだけでなく、試合で有効打突と判定されにくかったこともあるのかもしれないが、その頃は引き技の練習をどこでもあまりやらなかったのではないだろうか。認められた技であるのだが、試合で引き技をとらない審判が当時は多かった。恐らく、刀ではあり得ない技だと考える人が多かったのだろう。逆胴をとらない審判も多かった。刀を差している側の胴は刀が邪魔になって切れないからだというのがその理由だった。

七　ただひたすらに

質子さんが学生だった頃、父は家にいたことがほとんどなかったと語る。確かに学校から戻った頃には興誠の道場で、夜はヤマハか浜剣の道場で稽古をつけていたのだからそんな感じだったはずだ。先生が剣道に関わるのは平日の稽古のときだけではない。高体連や県剣道連盟の大会や会合、あるいは昇段審査会があったりして日曜日なども出かけることが多かった。

写真㉑は、昭和四十四年の夏に磐田市総合体育館で行われた磐田剣道大会の折に少年剣士に稽古をつけている先生の写真である。先生はこういった剣道普及のための活動にも熱心に取り組んでいた。さすがに、最晩年は防具を着け元に立って稽古をつけるということはなかったが、それでも浜松剣道連盟やヤマハの道場には必ず顔を出し、稽古を見つめ気付いたことがあれば言葉をかけていたという。

㉑昭和四十四年磐田剣道大会

出向いたのは市内や県内だけではない。五月に行われる京都大会には必ず参加していたし北海道やアメリカで行われた世界大会にまで足を運んでいる。

とにかく毎日が剣道だった。そんな先生が「感謝生もなく死もなくただひたすらに朝の太刀をふる」と揮毫された色紙がある。

先生が揮毫されたものには「平常心」「無心」「不動心」などといったものがある。いずれも心のあるべき姿を示すものであり、それは先生が修行の中でつかみ取ったものだとは思うのだが、一方では先生が求め続けていたものであるようにも思えてならない。だからなのかもしれないが、そうした言葉から浮かび上がってくる先生の姿からは、求道者の峻厳さが垣間見える気がする。

それに対し「生もなく死もなくただひたすらに朝の太刀をふる」という言葉からは、どこにも気負うところのない先生の姿が浮かんでくるのだ。僕にはここに先生が到達した境地があるように感じられてならない。一番心惹かれる言葉である。

先生は昭和五十五年の五月に病のために浜松医療センターに入院したが、その病床にあったときも、起き上がることが困難になるまで素振りを欠かさなかったという。

昭和五十五年十月二十二日、先生は剣道一筋の八十八年の生涯を静かに閉じた。

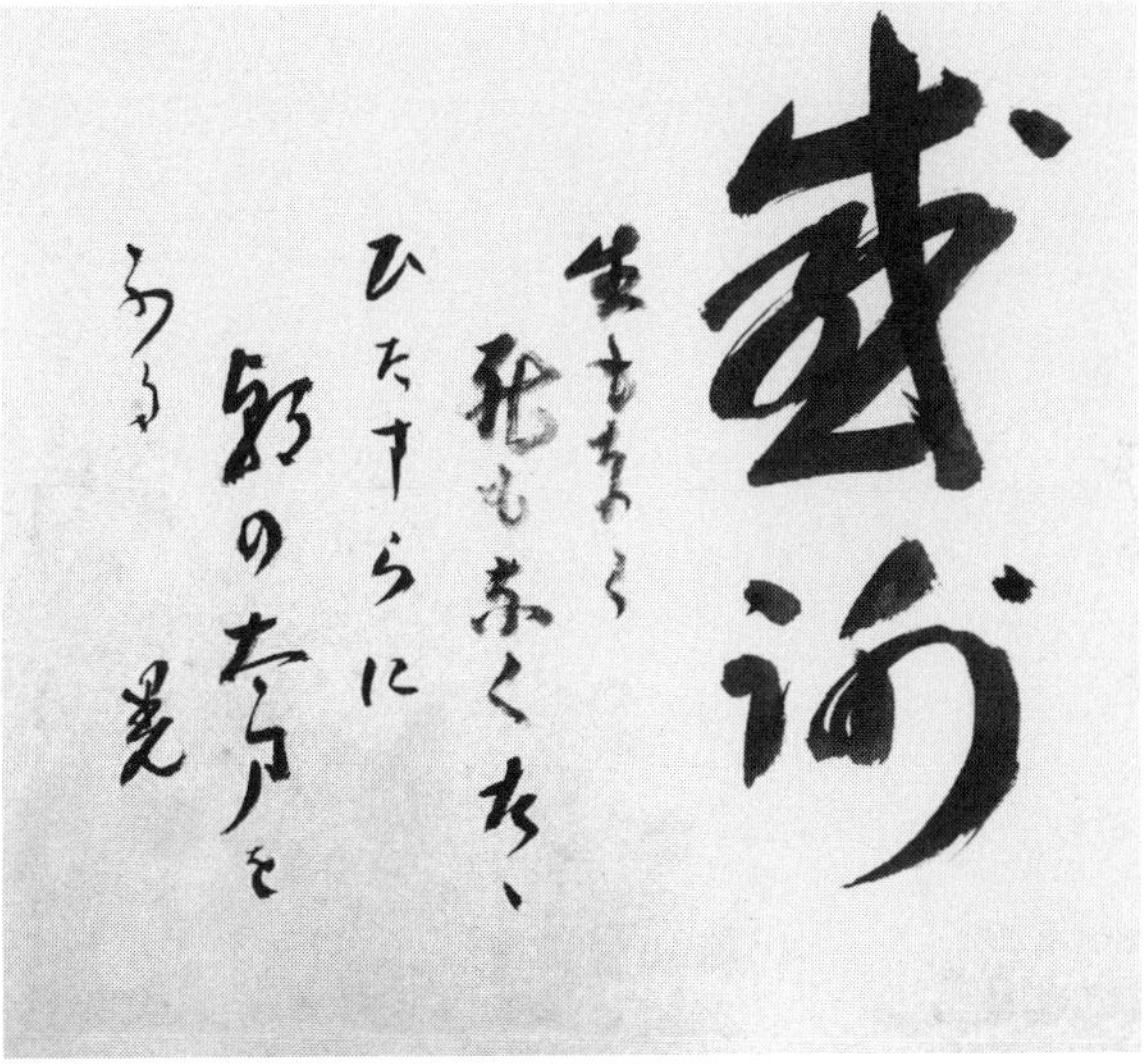

㉒ただひたすらに

【註】

※　写真㉑は磐田剣道連盟の大場隆史さん（教士七段）所蔵。

※　写真㉒は浜松剣道連盟所蔵のものを撮影。

第八章　余話として

多くの方々から貴重なお話や資料を寄せていただいたが、筆者の力不足もあって本文の中に活用しきれなかったものも多かった。そうしたお話や資料、さらにはそこから導かれて思いついたようなことをここで取り上げることとした。

一　内藤高治

永峰先生が、その師である内藤高治について語ったものとしては『浜剣連だより剣友』にあるもの以外は『剣聖内藤高治先生』と『碧水先生』に寄せたものくらいしかないと思われる。どちらからも先生がいかに内藤を敬慕していたのかがよくうかがえるのだが、いずれも簡単に手に入る本ではないので、それぞれに先生が寄せたものを次に転載しておく。

恩人内藤先生

私は大正二年に北海道長官（西久保）の推薦で、第三回の武道専門学校に入学いたしました。遊びの剣道から専門の剣道に入りまして、あまりに厳しい稽古に驚きました。実は入学する時に京都に知人がいませんでしたので、内藤先生に保証人をお願いしてあったのです。稽古の厳しさに堪えかねて、退学願を書いて先生を三度伺いましたが、退学願に捺印のお願いができませんでした。

当時はまた、日清、日露の戦争に勝って日本は大きく発展しつつあるところで、先生は、「日本の発展というものは、日本魂でもってできる。君達は、学校教育の聖職につく、本当に名誉な人なのだから、せいぜい剣道を修行して立派な先生になってください」と言われ

押してみよ　とつくに人の力にて　大和島根の　動くものかは

と詠って聞かせてくださいました。

こうした先生のお話を伺い、ますます退学願のことを言い出せず、死を決しました。

学校は全寮制だったので寮に帰って、当時は和服を着ておりましたので、上着の下に白木綿の汗取りを着て死の装束をしてから後は武専の厳しい練習に毎日励むことが出来て、大正五年に卒業しました。

それから、六十有余年、八十五才の今日まで、細ぼそながら一筋に剣の道を歩むことのできましたのは偏に先生のおかげで、常に感謝しております。

先生は剣道の外に、鎖鎌にも達しておられたと想うのですが、先生から伺った唯一度のお話と、玉利嘉章先生収集の鎖鎌稽古の武装をせられた立派な写真を拝見した以外に、資料は有りませんが、私の師の大河内三千太郎先生を天下無二の大先生だ、先生はまだご在世か、といってお悦び下さったことを綜合して、右のように考えます。如何でしょう。

高岡謙次編『剣聖内藤高治先生』（昭和五十五年）

想出

内藤高治先生に初めてお会いしたのは、大正二年三月で、丁度五十年前のことである。先生は一見近より難い威厳を備えておられた人で、その厳格さにおいては定評があったのであるが、一度接してみるとこのくらい慈父の感を深くする人は、他に知らないのである。

私は先生には武専入学の際保証人をお願いした関係もあって、お宅には在学中別に用件が無くても終始お邪まして、時には二時間も三時間もねばって、膝のしびれで仕方なく辞するということもしばしばであったのであるが、今考えると随分厚かましいことで、先生には迷惑なものであったに相違ないのであるが、先生は少しも嫌な様子もせられず、いつも微笑を湛え、一文字に結ばれた口を綻ばせつつ豊富な話題に花を咲かせられるので、つい引き込まれて時間が経つのも忘れてしまうのであった。先生は人をそらさない、座談の巧というか、人を引付ける不思議な力をもっておられた。この力こそ先生の円満で高潔な人格から発するもので、先生が万人に敬慕された所以であると思うのである。

おして見よ外国人の力にて大和島根の

動くものかは

この歌は先生のお作と思うのであるが、日本精神を誇り、無窮のわが国を謳歌せられる時には必ず、口ずさまれた歌であるから、多くの人がしっておられると思うが、先生は実に信念の人で、永遠の光栄を担うべきわが国民の心身の錬成に当るのが、われわれ剣道家の使命であることを確信せられていた。欣然として此の歌を誦せられた。ありし日の先生のお姿が偲ばれて来る—尊いお姿である。

先生の生涯は僧院の一隅の仮住居、浩然たる気宇の先生には京都の町屋の狭溢には到底耐えられるものでなく、止む得ず寺院の仮寓であったと想像するのであるが、世の一般的例から見て先生のような生活が誰でもできるものではない。道場も住居も一切の欲望を脱して唯一筋に武徳会剣道に一生をささげられたのが先生である。

稽古にも特色をもった武徳会剣道を大成して、現代剣道の基本を確立せられたのが先生であると言って過言ではないと信じる。

私が武専一年の頃、先生に刀の保持方法をお尋ねしたことがあるが、先生は懇切に茶巾しぼりの要領を説明してくださった。そして私のマメのできた両手を調べられた後、先生は御自分の両手を大きく開いて見せてくださった。先生の手を拝見したのはこの時が最初で、また最後であったが、当時先生は武徳会剣道部主任教授として、毎日午前午後の激しい稽古を続けておられたのであるが、その手には一つのマメもない誠に柔らかな、さながら少女の手であった。私は驚くよりむしろ不思議に思ったのであるが、これが名人というべきものであらう。

それから既に五十年が経過したのであるが、今なお掌裡の安定を得ないで苦辛している自分を思うと一層先生が稀有の方であったことを痛感するのである。

碧水会『碧水先生』(昭和三十六年)

二　試し切りと居合

掛川西高校や磐田南高校の剣道部顧問を務めた松本勝彦先生(教士七段)は、少年の頃、父親にいわれ利町にあった浜剣の道場で剣道を学んでいたことがあったのだそうだ。学校が終わると防具を担ぎ、電車で浜松まで通ったが、小学生の頃だから、同級生たちが遊んでいるのを横目で見ながら道場に向かうのはちょっと辛いものがあったという。

その頃のある日の出来事を語ってくれたことがある。中学生になるかならない頃だというから昭和三十五年前後のことだろう。浜剣の道場に行くと、河合多三範士七段(居合道範士八段)が巻き藁を切る練習をやっているところだった。

河合は浜北の中瀬の出身で、昭和三十年に県会議員に当選すると以後五期二十年にわたって県政に携わり、県会議長も務めた人だが、若いときから晩年に至るまで、剣道、居合道の稽古を欠かさず、また剣道の普及にも熱心に取り組んだ人である。

そういう人だから、彼が中心となって開催される浜北剣道大会などでは、開会式の際に居合の演武や試し切り、薙刀と剣道の異種試合といったものが披露されていた。

剣道に関心を持ってもらうためのデモンストレーションである。選手にとっては開会式が長いとアップした身体が冷えてしまうから必ずしもそのことに好意的だったというわけではないが、観客にとっては異種試合を見る機会などほとんどなかったから興味深く見ていたものだ。

そのときもどこかで試し切りを披露するために練習していたものらしい。

それはともかく、そこへ永峰先生がやってきて、河合に対し、そういうものは人前でやるものではないよ、とやんわりたしなめたという。居合にしろ試し切りにしろ、それは一人で稽古するものであって大勢の者を前に披露するものではないというのが先生の考えだった。[註(一)]

こうした考えは師であった内藤高治譲りのものだったようだ。武専を大正十一年に卒業しその後武専の教授になった佐藤忠三範士九段は、あるとき内藤から「居合はいくらやってもよいが嗜みであって見せるものでない」といわれ、それ以来人前では抜かないことにしたという。[註(二)]

一方、剣道家は殻に閉じこもらず、積極的に前に出て、多くの人に剣道に対する関心を持ってもらうことが必要だというのが河合の考え方だし、常々、剣道と居合は車の両輪であって、剣道をやるものは刀を使えなければならないし居合をするものは剣道が出来なければということを口にしている河合である。これは双方の考え方の違いということでしかないが、先生の言葉にカチンとくるところが河合にあったらしい。先生は武専出の専門家ですが巻き藁を切ることが出来ますかと、そのときちょっと挑発的なことを言ったという。

先生がその言葉をどう受け止めたか分からないが「ああ、切れるよ。どの刀で切ろうか」と静かに答え、河合が、持ってきていた何振りかの刀の中から「ではこれで」と渡すと、両腕の筋肉を少し揉んでほぐすと、台に差し込んで立ててある巻き藁の前に立ち、刀を一閃、巻き藁を袈裟切りに切り落としたという。

その瞬間「ご無礼致しました」と大きな声で詫び、河合が頭を下げたという。松本先生は、そのときの永峰先生のことはもちろんだが、河合のその潔い態度が強く印象に残っているという。

【註】

㈠ 先生から試し切りに失敗して刀を曲げてしまった人の話を聞いたことがある。そのとき、手練れた人でもそういう失敗があるから人前ではやらない方がいいのだといわれたが、それはあくまで居合や試し切りを大勢の前で披露することに対して否定的なだけであって、刀の扱いに習熟することに否定的であったわけではない。河合との逸話でも分かるが、むしろよほどの修練を日頃重ねていたに違いない。

そのときであったかどうかは全く忘れてしまったが、刀の握り方について、柄を余して握る人があるが、柄の端に小指が半分掛かるように握らなければ駄目だということを教えてもらったことがある。若いときであるから、そうなのかと思っただけで深く考えてみることもなかったが、これなども先生自身の経験からの教えであろう。

㈡『武道専門学校史』に、武専第二十二期の井上経廣が佐藤忠三本人から聞いた話として書いている。

三 揮毫

先生は揮毫を依頼されてもなかなか応じられなかったそうだが、それでも先生が揮毫されたものが扁額として掲げられている道場が何ヵ所かある。また色紙に揮毫されたものも何枚か残されている。ここではそうしたものをすべてではないが紹介したい。

1「石瀬」

揮毫されたものには雅号が記されることが多いが、永峰先生の場合「石瀬」となっているものが多い。

雅号というのは「文人・学者・画家などが、本名以外につける風雅な別名」（『広辞苑』）のことだが、分かりやすくいえば、漱石とか鷗外というようなペンネーム（ペンネームといってしまったのではちょっと軽い感じがしてしまうが意味的にはそういうことになる）のことだ。

どうして「石瀬」という雅号を選んだのかということについて先生から聞いたことはないが「石瀬」は先生の生まれ故郷を流れる石狩川にちなんでつけた雅号だろう。

石狩川は、先生の生まれた家から五分ほどのところを流れているが、先生にとっては思い出深い特別な川であったはずだ。

2「唯心」

㉓唯心

周智郡森町草ヶ谷に「割烹久松」という店がある。中に入ってすぐ気付くのが、「唯心」と書かれた大きな扁額だ。

かなりの大きさだからそのことに少し驚くかもしれない。永峰先生のことを知っている人であれば、落款に「八段範士石瀬」とあるのを見て「どうしてここに」とさらに驚くに違いない。

この店に永峰先生が揮毫した扁額があるということを教えてくれたのは森町向天方の宝太寺住職、林昭光さんだ。林さんは高校の数学の教師だった方で、静岡県立森高等学校の校長を最後に退職した方だが、その森高校の格技場に掲げられていた扁額がこれだ。この扁額は、昭和四十六年（一九七一）に格技場が作られたとき、先生に依頼して揮毫してもらったものだという。

森高校は平成二十一年に周智高校と統合して現在は遠江総合高校となっている。その際、森高校の校舎は遠江総合高校の校舎を新築するために取り壊されたわけだが、格技場にあった扁額もその際廃棄処分されるところだったという。

廃棄処分という話を聞き、それはいかに何でもと、保存を申し出てくれたのが「割烹久松」店主であり、森高校剣道部ＯＢの山崎道《とおる》さんだったそうだ。

「唯心」とは仏教の言葉で「一切の存在は心が変現したもので、心が唯一の実在であるということ」と『広辞苑』にある。辞書にある説明の方が分かりにくいくらいだが、要するにすべては心が生み出すものだということだろう。

3 「心伎」

先生の扁額が佐久間高校（現・浜松湖北高校佐久間分校）の武道場にあるということを教えてくれたのは松本勝彦先生だ。

佐久間高校は松本先生にとっては最初の赴任校で、もちろん顧問として剣道部の指導をしていたわけだが、その頃、道場に掲げる扁額が欲しいと思い、永峰先生にお願いしたところ快く引き受けてくれ、部員の保護者から提供された杉板を松本先生が持っていくと書いてくれたのが「心伎」という文字だったという。

五十年ほど前の話であり、分校となった今、また剣道部もなくなったというから「あれはどうなったか」と気にかかっているという。そこで学校を訪ね、副校長さんに案内してもらい道場に行ってみ

㉔心伎（浜松湖北高校佐久間分校武道場）

㉕平常心（浜松聖星高校剣道場）

ると「心伎」と書かれた扁額が、昔と同じであろう所に掲げてあるのが確認できた。落款は「石瀬」ではなく「八段範士永峰晃」とあった。

ちなみに、松本先生によるとこの扁額を書いてもらうについては一つ失敗談があるという。永峰先生に書いてもらうために、松本先生が杉板を部員たちと一生懸命磨き込んで先生の所に持っていくと「これでは墨が入っていかないから駄目だ」と言われたという。磨き上げたことがかえって仇になってしまったというわけだ。

結局、永峰先生が浜工時代の教え子に連絡を取って板を削り直してもら

㉖直心（袋井高校武道場）

い揮毫したということである。

4「**平常心**」

「平常心」と書かれた扁額は、浜松海の星高等学校（現・浜松聖星高校）の剣道場に掲げられている。これは顧問であった岩本守弘先生が永峰先生にお願いをして書いてもらったものだという。

【註】

※　写真㉕は宮城質子さん所蔵。

5「**直心**」

この二文字は扁額として袋井高校の武道場に掲げられている。臨済宗で尊重される『碧巌録』にある言葉「直心是道場」からとった二文字だという。

禅の世界の言葉だから、様々な解釈があるようだが、直心、すなわち素直な心で臨めばどこであっても自分を鍛える道場となるという意味に理解している。

㉗明徳館

写真㉗は、明徳館の道場開きの日に、道場に掲げる看板を揮毫をしている先生の写真だ。

【註】

※ 写真㉗は村木昌弘さん所蔵。

6「斬春風」

写真㉘は、第二十回西部地区剣道大会の際に作られた面手ぬぐいだ。先生の「斬春風」という三文字が染めてある。

これは、鎌倉時代に中国から来日した禅僧、無学祖元の「電光影裏斬春風（でんこうえいりにしゅんぷうをきる）という言葉からとったものだ。

これもまた禅僧の言葉だからいろいろな解釈があってどう理解すればいいのか迷うのだが、「不動心」（何事にも影響されない心のありよう）とか「平常心」（普段と変わらない心のありよう）と同じ意味だと思っている。

㉘斬春風

落款は「晃翁」である。

こうして先生が書いた言葉をいくつか見てくると「心」という文字が含まれることが多い。これは先生が日頃から心のありようというものを常に意識していたことの表れだろうと思う。

先生は前出の『創立二十周年記念現代剣道百家箴』にこう書いている。

> 剣道は習技に始めて養心に進むものであるから自然技が主となるものであるが、手（体）で行う技には限度があるから、それ以上の進歩には、頭（心）を使って眼と試合勘を養わねばならない。剣道が今後いかにスピーディーになっても手の技として変わりないのであるから、その不足は頭で補う以外はないのである。

珠算は暗算に強くならなければ名手にはなれないと聞いているが、剣道でも同じことで真に強い人は

㉙永峰先生顕彰碑

㉚顕彰碑除幕式

手の技の上に心の技のできた人であって、これが名人と云い達人と称せられる人である。

7「不動心」

浜松剣道連盟道場の入口右脇に先生の顕彰碑があり、そこには先生が書いた「不動心」の三文字が刻まれている。

写真㉚は娘さんの質子さんやお孫さんの真さんが出席し行われた除幕式の写真である。

8「日々是好日」

浜松剣道連盟道場に永峰先生の胴と小手、竹刀などが展示してあるコーナーがあり、そこには先生が色紙へ揮毫したものなども並べられている。落款印のないものも含め八枚ほどだ。

その中に「日々是好日」（にちにちこれこうにち、あるいはにちにちこれこうじつ）と書かれた色紙がある。

難しい言葉や難しいことが書かれているわけでなく単に「毎日が良い日」と書いてあるだけなのだが、これもまた禅僧の言葉、禅語だから、肝心なことはそこにどういう意味が込められているのか、この言葉をどう受け止めるかということだろう。

毎日が良い日となるよう努力すべきという理解の仕方があったり、優劣、是非、好悪ということにこだわらない生き方が「好日」に通じるというような受け取り方があったりと様々だが、好悪の判断せずあるがままに、つまりはこだわりのない生き方というのが先生の理解であったように思う。

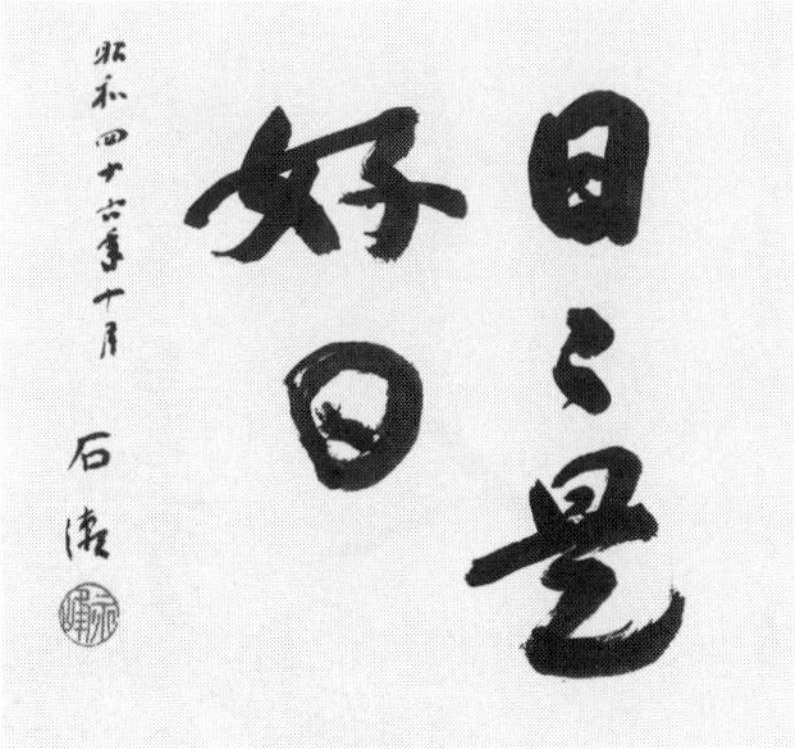

㉛日々是好日

【註】

※　写真㉛は浜松剣道連盟所蔵のものを撮影。

9「無事貴人」

「無事貴人」と書かれた色紙もある。これは、中国唐代の禅僧

㉜無事貴人

で臨済宗開祖の臨済義玄の言葉「無事是貴人」（ぶじこれきにん）と同じとみていいだろう。

「無事」は「無為」のことだそうだが、庭なども自然のままに荒れている方が好きだといった先生の言葉を思い出すと、人間の浅知恵であれこれ巡らせることなく、淡々と自然に任せた生き方をよしとする意味が込められていると理解したい。

【註】

※　写真㉜は浜松剣道連盟所蔵のものを撮影。

10「憂きことのなほ其の上につもれかし」

先生が自宅で揮毫しているときの写真がある。左手に書き上げた色紙、右手に筆を持ち、背後に「憂きことのなほ其の上につもれかし限りある身の力ためさむ」と書かれたものが鴨居に掛かっている写真だ。

いつの写真なのか正確には分からないが、手にした「剣人也」（剣は人なり）と書かれた色紙が『浜剣連だより剣友』第十九号（昭和五十四年六月）の表紙を飾っていることと、落款に「春八十五」とあることから考えると昭和五十四年の三月頃までに撮影されたものだと思われる。

㉝憂きことのなほ

「憂きことのなほ其の上につもれかし限りある身の力ためさむ」という歌は「つらいことがもっと自分の身の上に降りかかって来い。自分は決して負けはしないぞ」というような意味だろう。[註(一)]

先生が揮毫されたものは浜松市立三ヶ日中学校の「青雲館」二階道場に掲げられているはずだ。というのは、先生の写真の中に、昭和五十五（一九八〇）年三月に剣道部の三年生を送る会に招かれ武道場で剣道部員たちに話をしているときの写真が何枚かあるのだが、そこにこの書が写っている写真があるからだ。[註(二)]

ちなみに、三ヶ日中学は剣道の強豪校として県下に知られているが、前年に行われた全国中学校剣道大会の女子団体戦で優勝している。女子団体戦はこの年に始まっているから三ヶ日中学は第一回の優勝校ということになる。

【註】

㈠ これは戦国の武将山中鹿之助の歌とされているが「我に七難八苦を与え給え」と祈ったという鹿之助の生き方を、江戸時代の儒学者熊沢蕃山が詠んだ歌というのが正しいようだ。
㈡ 三ヶ日中学に電話で問い合わせたところ、この扁額は今も道場に掲げられているとのことだった。
※ 写真㉝は宮城質子さん所蔵。

11 「剣人也」

前項で取り上げた写真の中で、先生は手に「剣人也」（剣は人なり）と書かれた色紙を持っている。この「剣は人なり」という言葉は「剣は心なり、心正しからざれば剣も正しからず、剣を学ばんものは心を学べ」とともに江戸後期の剣豪島田虎之助の言葉としてよく知られている。

しかし、余計なことを書くようだが「剣は人なり」「剣は心なり」はともかく「心正しからざれば剣も正しからず、剣を学ばんものは心を学べ」と続くあたりは、剣術が相手を斬るための技術であった江戸時代に活躍した虎之助のような人間が唱える言葉とはとうてい思えないのだ。

確かに心の問題は大きい。実際に剣をとって相手と向き合う場面では、技術以上に心のありようが重要になるからであり、古来多くの剣客が心のありようの大切を説いている。だが、それはあくまで「無心」であるとか「不動心」といった言葉で表される心のありようであって、それが正か邪かというところに重きが置かれるわけではない。実戦における勝負と正邪は関係ないからだ。

そうした考え方が出てくるのは、人を斬る技術が必要でなくなった時代に、なぜそのような技術を命がけで学ぶ必要があるのかという疑問が湧いてくるようになってからだと思う。つまりそれは近代になってからのことであり、剣術が剣道になっていく時代に広まっていった考え方だと思う。

そうしたことからも島田虎之介の言葉とは考えにくいのだ。取りあえず調べてみたのだが、やはり、島田虎之助によってこのような意味のことが書かれたものもなければ、語るのを聞いたという同時代の人間の証言もない（虎之助が心に重きを置いて禅を学んでいたことは確かだ[註一]）。

では出典は何なのかといえば、中里介山の時代小説『大菩薩峠』だろう。大正二年（一九一三）から新聞連載が始まり大人気を博したという小説で何度か映画にもなっている。

この小説の中に「剣は心なり、心正しからざれば剣も正しからず、剣を学ばんものは心を学べ」という言葉が登場する。登場するのは、土方歳三から闇討ちにあった虎之助が逆に土方を取り押さえる場面である（両者が活躍していた時代は全く違うからそもそも有り得ない場面だ）。

> 島田虎之助は、このとき押えた膝を寛めて、
> 「剣は心なり、心正しからざれば剣も正しからず、剣を学ばんものは心を学べ」
> 斯う云いながら、土方歳三の襟髪をとって、突き放すと、よろ〳〵と彼方に飛んで、撞と倒れます。

このように、小説の中で虎之助の言葉として語られる。要するに作者中里介山が創作した言葉とい

うわけだ。それが独り歩きをはじめ、いつの間にか、実際に島田虎之助が語った言葉となっていったということだろう。

それは、司馬遼太郎の小説によって描かれた坂本龍馬や土方歳三、沖田総司などが、実際の人物がそうであったかのように受け止められているようなものだ。もちろんそれは小説に描かれた人物が共感できる魅力を持っているからであるが。

「剣は人なり」に関しては誰が最初に言い出したのか知らないが、『大菩薩峠』の中の言葉が広く知られるようになってから、虎之助の言葉として新たに創られた言葉ではないかと思う。

【註】

(一) 虎之助について同時代に語った人間として勝小吉がいる。彼の自叙伝『夢酔独言』を読むと、手合わせはしてないようだが、息子の剣の師である虎之助に挨拶に出かけたときのことが出てくる。小吉の常識外れの振る舞いに困惑する虎之介の姿が活写されていて面白い。

これは後年になっての回想だが、虎之助の弟子であった勝海舟も彼のことを『氷川清話』の中で語っている。

> 本当に修行したのは、剣術ばかりだ。全体、おれの家が剣術の家筋だから、おれの親父も、骨折って修業させようと思つて、当時剣術の指南をして居た島田虎之助といふ人に就けた。この人は世間なみの撃剣家とは違ふところがあつて、終始、「今時みながやり居る剣術は、かたばかりだ。せつかくの事に、足下は真正の剣術をやりなさい」といつて居た。
>
> 彼の島田といふ先生が、剣術の奥義を極めるには、まづ禅学を始めよと勧めた。それで、たしか

十九か二十の時であつた、牛島の弘福寺といふ寺に行つて禅学を始めた。

これなどを読むと実際の虎之助も禅に取り組むなど、心の在り方に重きを置く人物だったようだ。

虎之助については一次資料にあたるものがほとんどないせいか、彼について書かれた本は何冊もあるが、研究書であることを謳ったものであっても、こういう人物であって欲しいという書き手の思いがあふれた小説のようなものがほとんどだ。

四　褌

高校一年生のときだったと思う。終戦の日である八月十五日、稽古が終わった後だったように記憶している。先生が帰り際に、近くにいた生徒たちに「戦争中のことだが学校で倒れた生徒がいて治療のために服を脱がせたら褌《ふんどし》を二枚重ねてつけていたんだ。感心した」と、いざというときに見苦しくないよう褌を二枚着けていたその生徒の日頃の心構えを立派だと褒めたことがあった。註(一)

今の高校生たちがどうしているか知らないが、当時の高校生は袴の下に下着など着けていなかったから、そういうかたちでそれとなくそのことを戒めたのだろう。

不肖の弟子である僕などはその話を聞いたからといって何も改めなかったが、先生がそんな話をされたことだけはなぜかよく覚えている。

【註】

(一) この場合の褌は「長さ一㍍程の小幅の布に紐をつけたふんどし」(『広辞苑』)でいわゆる越中褌。「褌の戒め」ということについては吉林さんが「武専時代、修行で死を覚悟した師は二十数年、苛烈な稽古で私を鍛えた」『剣道日本』(平成十七年九月号)の中で語っている。

五 竹刀

玉利嘉章範士九段と親しいということを先生から聞いたことがある。いつどういうことから親しくなったのかについては聞かなかったが、昭和五十五年に第一回永峰杯争奪剣道大会が開催されたときに寄せた祝辞の中で、玉利が「永峰先生と私との宿縁は大正五年に鹿児島の重岡昇範士の御尊父栄之丞先生が亡くなられ其後任者として京都武道専門学校を卒業して間もない永峰先生が師範学校に赴任されて来られたときからに始まる」と書いているから、大正六年に先生が鹿児島第一中学の剣道教師として赴任した頃からの知り合いということになる。

その頃、玉利は鹿児島第二師範学校に在学しており、先生が赴任した学校の生徒ではなかったが、武徳会の道場あたりで先生から稽古をつけてもらったことがあったのだろう。

一年ほどで先生は鹿児島を去り、玉利も上京して早稲田に入学しているから付き合いは途絶えたと思うが、その後どういうかたちで再会したのだろうか。

このことについては、大正十三年に上京後、高野佐三郎の修道学院か野間道場あたりで再会したのではないかと想像していたのだが、玉利は、再会の場面を『斎村五郎の遺稿と想い出』の中に次のように書き残していた[註(一)]。

　昭和二年の大学の寒稽古も終り、先生の御供して伊香保の講談社の別荘の道場に行った時のこと、丁度今静岡浜松に居られる永峰晃範士も来て居られた。永峰先生は私が鹿児島の中学時代丁度今の関西の重岡昇範士の父君の故重岡栄之丞先生の後任として鹿児島師範の先生に来られたので偶然御目にかかる機会を得て大変なつかしく、今以て毎年京都大会で御元気な御顔を拝見する事が出来て嬉しい次第だ。

㉞「為永峰先生玉利」

玉利は明治三十六年の生まれで先生よりも十歳ほど年下ということになるが、ここにあるように、とにかくずっと親しくしていたようで、先生は、竹刀作りの名人としても知られる玉利から何本も竹刀を贈られている。

その一本が今手元にある。先生の孫である岡山の岩井芳文さんから頂戴したもので「為永峰先生玉利」と刻まれている竹刀だ。

伝統的な、細身の直刀型竹刀で、重さを計ってみると四百八十㌘ほどだった。昔風に言えば百三十匁（約四百八十八㌘）くらいの竹刀ということになるから軽目の竹刀といっていいだろう。

いつ玉利から贈られたものか分からないが、森川武道具店の先代の店主から、先生が最晩年の頃に使っていた竹刀は百三十匁くらいのものだったと聞いたことがあるので、きっとその頃に贈られ使用していた竹刀だろうと思う。

ちなみに先生は、七十代の頃でも百七十匁（約六百四十㌘）くらいの重い竹刀を使っていたということだ。恐らく若い頃は二百匁（七百㌘）くらいの竹刀を使っていたのではないだろうか。

そうした重い竹刀を昔の先生方は使ったようで、武専時代に指導を受けた先生の一人である宮崎茂三郎は二百三十匁（約八百六十三㌘）の竹刀を軽々と振っていたという。

先生の竹刀についてもう一つ取り上げる。『剣道日本』に連載されていた「逸品物語⑳」（昭和六十一年十一月号）に先生の竹刀が、斎村範士、宮崎範士、小川範士、植田範士の竹刀と共に出ている。

これは、記事によると、名剣士が使用した竹刀を可能な限り現物を忠実に再現したもので、山渋保雄居合道範士八段が、縁あって各剣士の竹刀を譲り受けた持ち主をたずねて、参考として残すために作らせたレプリカだという。

【註】

㈠　斎村龍雄編『斎村五郎の遺稿と想い出』（昭和四十七年）
玉利は昭和二年に伊香保の道場でと書いているが、別荘に道場が設けられたのは昭和三年の一月だから、昭和二年とあるのは玉利の記憶違いだろう。

六　胴打ち

先生から稽古をつけてもらっていた人に、どんなことを覚えているかと聞くと、返ってくる答えはもちろんさまざまなのだが、十人が十人とも語ることがある。先生の胴打ちだ。

福井さんが「胴などを打たれると防具を着けているのに、一瞬息が止まるほどの胴を打たれた」註㈠と書き、吉林さんも「永峰先生の胴打ちにあばら骨を折られた人がいたといわれるほどの強烈な胴打ちだった」註㈡と書いているが、全くその通りで、面返し胴を打たれるとその衝撃の強さに「ウッ」と息が一瞬止まった。

小手や面ならわかるが、打突を受ける部分が最も堅牢な胴を打たれてそんな風になるものだろうかと訝しく思い、それは防具外れを打たれるからと思う人もいることだろう。

しかし、正しい刃筋で斜め四十五度に、つまり左袈裟に胴を斬ることを想定して竹刀を打ち下ろせば、竹刀は自ずと小胸（脇腹部分を保護するために、竹やファイバーで造られている胴台の上部に設けられている部位）辺りから胴を打っていくことになる。これは防具外れを打つということとはちょっと違うことだ。

冴えた手の内でこういう胴を打たれると、思わず「ウッ」となるような衝撃と痛みが瞬間走ることになる。稽古の後には、脇の下に斜めについた紫色のあざを鏡に見るということになるわけである。

これは力任せに打たれる痛みとは異なる痛みだ。この違いをうまく言葉にできないが、剣道経験者であればこの違いをきっと分かってもらえることだろう。

【註】
㈠ 福井高三『私の見たヤマハ（日楽）剣道部の歴史』
㈡ 吉林時政「武専時代、修行で死を覚悟した師は二十数年、苛烈な稽古で私を鍛えた」『剣道日本』（平成十七年九月号）

七　ライバルは柴田万作

自分のライバルは柴田万作だということを先生から聞いたことがある。その前後のことをすっかり忘れてしまっていて、なぜ柴田のことが話題になったのかも覚えていないのだが、先生が相当意識していた人物なのだなと、そのとき感じたことだけは覚えている。

先生がライバルとした柴田万作の経歴は次の通りだ。明治二十六年に福岡県で生まれているから先生と同じ歳ということになる。明治四十四年に武徳会本部講習生となり、大正二年に講習科を出て、福岡中学、西南学院の教師となったが、同七年再び武徳会本部の門を潜っている。

ということは修行の場も同じだったということになる。ただし、柴田は、先生が大正二年武専に入ったときには講習科を卒えて九州へ戻っているし、大正七年に柴田が京都へやって来たときには先生は鹿児島に赴任しており、同時期に武徳殿で剣を交えたということはなさそうだ。

柴田はその後、福岡師範学校、福岡県警、九州帝大等の師範を務めていたが、郷土の先輩であり、京都で指導を受けたことのある斎村五郎の招きで上京し、昭和九年一月、早稲田大学と警視庁の師範となっている。昭和三十三年、六十五歳で亡くなった。[註(一)]

この経歴を見るだけでも柴田が一流の剣道家であることがよく分かるが、人物としても一流の人だったようだ。

中山博道の高弟で、中倉清、中島五郎蔵と共に「有信館三羽烏」の一人として知られる羽賀準一は、剣道の強さとともに相手に遠慮することなくハッキリものをいう人としても知られている人だが、その羽賀が柴田を高く評価している。[註(二)]

昭和二十年十一月五日から昭和二十二年六月二十八日にかけての羽賀の日記には何度も柴田が登場する。

柴田は終戦後も稽古を続け、ＧＨＱによって剣道を行うことが困難になった状況からの復活を目指して尽力していた。そういう活動に対して日記に「幸いにして柴田範士を始め真面目な同志数名在京せり」「柴田先生のお力添え感謝の外無し」「この間柴田範士の努力には敬服の外無し」「柴田先生の精進は特筆に値する」というように何度も賞賛の言葉が記されている。

日記だからより辛辣な言葉で羽賀から批判されている人も少なからずいるのだが、柴田に対してだけは一切そうした記述が見られない。[註三]

剣道についても同様だ。羽賀は自他ともにその強さを認める実力者だが、その羽賀が「柴田先生との稽古には絶対的な圧迫感があり、私の修業の不足を物語るのであろう」「最近は柴田先生に益々追われ、中野君たちには可成り打たれる」と記している。[註四]

羽賀のような人物にこういう評価をされているということは、人間的にも剣道の実力においてもよほど優れた人だったということだろう。

この柴田に対していつから先生はライバル意識を持つようになったのだろうか。柴田の経歴のところでも触れたが、修行時代の先生と柴田は京都ではすれ違っていて竹刀を交えた形跡はない。それは東京でも同じだ。先生が東京にいる間は九州、柴田が上京したときには先生は浜松である。

すると残る機会は毎年五月に開かれる京都大会[註五]だろう。京都大会は、年に一度修行の成果を披露する場であり、剣道家にとっては最も格式ある大会だ。その大会で二人は何度か立ち合ったことがあるのではないか。年齢も修行の場も同じである二人は、立ち合いを通して切磋琢磨する相手だという意識が芽生えたのではないかと思う。

ここからはさらに想像が加わるが、よりライバル視したのは先生の方だろう。柴田は上京して警視庁の師範となり、先生は東京を離れて地方へ。稽古相手に恵まれた中央の剣道家に負けるものかという思いがあったはずだからだ。

【註】

㈠　柴田の経歴については「剣道の復活」『剣道時代』（昭和五十年三月号）に拠る。柴田の名前だが、戸籍上は万作で、一時期、万策という字を用いたという。

㈡　堂本昭彦編『羽賀準一剣道遺稿集附伝記・日記』

㈢　羽賀の日記にしばしば登場する増田道義は東京帝国大学卒の高級官僚だ。有信館における羽賀の先輩であり、上司であり、恩人でもあるのだが、戦後の混乱期に動揺を見せる増田に対してかなり辛辣なことを書いている。「増田先生色々な方面に我々の為、活動さる。感謝の外無し。」などと記すこともあるのだが、「最近の増田先生は悲観した言動多し。日常の行動にむら多し。将来の為おしむべし。昨日は久方ぶりに可成り手ひどく鍛えて置いた。可成りこたえた様だ。板の間に三回程投げつけ、思い切り打った。少しは勘づかれた様だ。かかる言動は将来大成されるのに余り良い事ではない。我が儘の御性質、御母堂様と同様なり。」と、腹の据わらない増田にかなり手厳しい。

㈣　中野君というのは中野八十二範士九段。

㈤　武徳祭大演武会として行われた大会を、全日本剣道連盟が継承し、開催するものである。全日本剣道演武大会は、毎年五月連休に京都旧武徳殿で開催される剣道の全国大会。通称京都大会。最も伝統と格式のある剣道大会である。

八　貰い訪れ

「片づけをしていたら父の写真がたくさん出てきました」という電話が質子さんからあったのは今年の二月半ばのことである。すぐにお宅にうかがい見せていただいたのであるが、写真が入っていた文箱の中に水下信業《のぶなり》という人からの手紙があったので驚いた。

この人は、第四章「上川尚武館と直心影流山下（水下）関助」の註で書いたように、榊原鍵吉の高弟、山下関助の次男にあたる人（範士七段）だ。

関助という人は、前述したように大河内三千太郎が亡くなった後上川尚武館を継いだ人である。この人のことを書くときには『月刊剣道日本』紙上に連載された「聞き書き剣道史」の中で水下が語ったことを参照にしたので、早い段階から水下については知っていた。しかし、先生の所から、それも原稿を八割方書き進めていた二月半ばになって水下の手紙が出てくるとは思ってもいなかったから驚いたのだ。

手紙には、永峰先生が大河内三千太郎のことを調べていることを知ったので、手元にある資料を送るというようなことが書かれていた。

送られてきた資料は三点で、上川中学校の剣道部員たちと三千太郎、関助が一緒に写っている写真（写真⑥）、北海道剣道連盟が昭和四十三年に出した『開道百年記念剣道開拓功労者顕彰』と『北海道剣道史』の抜粋で、いずれもこれまで目を通したことのある資料だったが、それ以外に別紙として添付されていたものがあった。これは初めて目にするものだった。それが次に転載した昭和五十五年八月三日に発行された「旭川東高等学校同窓会会報」である。

貰い訪れ

学校長　平野謹三

昨年の八月二十一日、ひとりの同窓の方の訪れを受けた。

上川中学校第六期生（大正二年卒業）の永峰晃さんであった。

永峰さんは、本校より京都武道専門学校に進まれ、その後本州の中等学校教員になられ、長年、剣道を通して青少年教育に尽力された方である。

今年八十七歳になられる。

現在、浜松市にお住まいになられ、剣道八段範士として、地域は勿論のこと我が国剣道界の重鎮として活躍しておられる。

本校を訪れた目的の一つは、申すまでもなく、懐旧の深い思いであり、母校への限りない愛情の発露からであった。かつて五年間学んだ心の中の学舎に、現在の東高を重ね、変遷の歴史の芯を貫く伝統の確認を願う心からの訪れであった。

二つには、永峰先生が在学当時の恩師、大河内三千太郎先生（故人）の履歴を尋ねての訪れであった。

大河内三千太郎先生は、明治三十六年七月から大正七年四月までの十年間、本校の草創期に在職された方である。

永峰さんは、中学校の五年間、恩師大河内先生から剣道を通して受けられた薫陶を忘れ難く、加えて大河内先生が、我が国剣道界に残された数多くの業績を辿り、日本剣道史に讃え止め後世に長く伝えるべく、恩師の確かな履歴を尋ねての訪れであった。俊敏な洞察の輝きを奥に秘めた穏かな慈眼、炎のごとき情熱のたぎりを内に蔵した明るい温容、その一言一言は、八十六歳の高齢を感じさせず、母校へのひたむきな愛情と、恩師への限りない報恩の心情のほとばしりであった。

眼前の永峰さんに現在の生徒の姿を重ね、深い感動の渦中に身を沈めての貴い一刻であった。

永峰さんの切なる願いである大河内先生の履歴については、資料を求める時の少なさと、七十年という時の厚みから、直ちにその意にお応えすることはできなかったが、同窓会関係の先生方の骨折りにより、当時の「学友会雑誌」に、大河内先生と永峰さんのお名前を見出すことができた。

上川中学校学友会雑誌第七号（大正二年二月二十五日発行）剣道部報告。剣道部上川中学校本部大会紅白試合結果の記述の中に、大河内先生のお名前と、永峰さんの三人抜きの活躍の様が明記されていたのである。その部分のコピーをお持ち頂いただけでお別れしたのであるが、その後、永峰さんの貴い願いに、どうしてもお応えすべく誓い合った同窓会関係の先生方の思いが実り、大河内先生の履歴について一部の資料を得てお送りすることができた。

（「旭川東高等学校同窓会会報」第十二号昭和五十五年八月三日）

水下は、旭川東高校の同窓会に出席した折、配られたこの同窓会会報を読んで、永峰先生が大河内三千太郎のことを調べていることを知った[註(一)]わけだが、先生が北海道を訪れたのはその前年（昭和五十四年）のことになる。第四回世界剣道選手権大会が札幌で開催されたのを機に北海道を訪れていたのだ。

世界大会は八月五日、六日と行われている。会報を読むと先生が高校を訪れたのは八月二十一日だ。だとすれば、北海道には一ヶ月近く滞在していたのだろう。

旭川には妹さんや娘さんがいたからそこに滞在しながらゆっくりと、学校だけでなく生まれ育った永山など、思い出に残るさまざまな場所を訪ね歩いたのではないかと思う。三千太郎の墓に詣でたり、上川尚武館のあった所などを訪れたりしていたに違いない。石狩川の川面を眺め河畔を散策したこともあったろう。

先生はこのとき八十七歳である。ひと月余りの滞在は、これが最後かもしれないという思いが心のどこかにあったからでないかという気もする。

水下が手紙を出したのは翌年の八月二十八日のことだが、このときすでに先生は浜松医療センターに入院していた。手紙はすぐ病床へ届けられたはずだが先生は十月に亡くなっている。水下への返事はもう書くことができなかったかもしれない。

【註】

(一) 水下は永峰先生と面識があったようで、手紙の中に「先生とは昭和三十一、二年頃札幌市中島スポーツセンターでの剣道大会で故坂東幸太郎先生よりお引合わせをいただいた記憶があります」とある。

九　世界剣道選手権大会

水下の手紙に同封されていた旭川東高校同窓会の会報を読み、そういえばと思い出したのは「今度北海道で剣道の世界大会があるからその機会に母校にも行ってくるつもりだ」と話してくれたことだった。

それを聞いたのがいつのことだったのか思い出せないが、第四回世界剣道選手権大会が札幌で開催されたのが昭和五十四年の八月だから、その年の四月か五月の頃だったのだろう。

そのときにも、故郷で開かれる世界大会だから遠いところではあるが出かけるのだろうな、というくらいに思っただけだったし、水下から送られてきたものを読んだ後も、何となくではあるがそんな風に思っていた。

ところが、である。質子さんから見せてもらった写真の中にアメリカでの写真があったのだ。ゴールデンブリッジを背景にした写真である。他にもディズニーランドで撮った写真㉟などもあった。

つまり先生は、昭和四十八年（一九七三）四月にロサンゼルス（団体戦）とサンフランシスコ（個人戦）で開かれた世界剣道選手権大会にも足を運んでいたということだ。

㉟アメリカにて

ということは、故郷で開かれる世界大会だから北海道へということではなく、剣道の世界大会だから、開催場所が何処であれ足を運んでいたということなのだろう。アメリカでの写真は、先生の剣道に対する熱い思いを感じさせるものだった。

それにしても、昭和四十八年といえば先生が八十一歳のときだ。現在であれば八十過ぎの高齢者が海外に出かけることなどよくあることと思うが、ほぼ半世紀前の話である。ちょっと驚く。鍛え上げた体と心は実年齢よりもはるかに若いということだろう。

【註】

※　写真㉟は宮城質子さん所蔵。

十　加藤顕清、加藤建夫、スタルヒン

先生の写真の中に、どこで撮影したものなのか分からないのだが、大きなブロンズ像の傍らに立つ写真があった。裏に「上中同期加藤顕清作」と記されている。上中というのは旧制上川中学（現・旭川東高校）のことだ。

当時の上川中学は学年二クラスで甲乙組に分かれ、先生と加藤が同じクラスであったかは不明だが、二クラスだけであれば仮にクラスが違っていたとしてもお互いをよく知っていたことであろう。

どういう人なのかとインターネットで検索してみると、大変な数がヒットしたので驚いた。

僕が知らなかっただけの話で、加藤顕清は、東京美術学校（現東京芸術大学）に学び、彫刻の巨匠として日本芸術院会員にもなっている著名な人だった。

この人だけでなく、上川中学は地元の名門校だから様々な分野で活躍した人が卒業生の中から出ている。旭川兵村記念館を見学したときにこの人もそうだったのかと思った人物がいた。加藤建夫である。

といってもほとんどの人にはピンとこないだろうが、加藤建夫陸軍中佐と聞けば年配の男性なら、ああ、あの人かと気づく人がいるかもしれない。この人は、太平洋戦争初期、加藤隼戦闘隊の隊長として活躍した人で、エースパイロット（撃墜王）の一人だ。先生より十歳年下になる。

そう紹介したところで、だからどうしたといわれそうだが、昭和三十年代後半あたりになると、少年向けの漫画雑誌に戦記漫画が連載されることが多くなり、加藤隼戦闘隊を舞台とした「大空のちかい」という漫画が『週刊少年サンデー』という少年週刊誌に連載されていたから、僕などの世代であればそれなりに知られている人物なのだ[註㈠]。

加藤の父親も屯田兵で、日露戦争に出征し戦死している。

ついでにもう一人、この人もそうだったのかという人物をあげると、昭和十年代から二十年代にかけてプロ野球で投手として活躍をしたヴィクトル・スタルヒンが旧制上川中学出身だ。

ロシア革命後、両親に連れられて日本に亡命した白系ロシア人である。通算三百三勝。シーズン四十二勝と通算八十三完封は日本記録だ。とんでもない投手だった。旭川市営球場は彼の功績を讃えてスタルヒン球場と命名されている。出身と書くのは、スタルヒンがプロ野球に入るために中退しているからだ。

【註】

㈠　昭和三十九年（一九六四）といえば東京オリンピックが開催された年だが、この前後『週刊少年マガジン』とか『週刊少年サンデー』といった少年週刊誌には、なぜあんなに、と首をかしげたくなるくらい多くの戦記漫画が連載されていた。一番よく覚えているのは、ちばてつやの「紫電改のタカ」だ。

今日、こうした戦記漫画を少年向けの漫画雑誌に掲載するなどということはちょっと考えにくいが、あの頃は戦争で大変な目に合ったはずの人たちが現役で働いていた時代であり、戦記漫画などはもっと批判されてもいいように思うのだが、批判されることもなく、いくつもの戦記漫画が連載されていたというのはちょっと不思議な気がする。

戦記漫画が流行った頃の日本は、経済が飛躍的に成長を遂げた高度経済成長期の真っただ中にいたわけだが、それを成し遂げたことによって、我々の父親世代（戦争体験のある世代）が敗戦によって失った自信を取り戻しつつあった時代でもあったのだろう。そんなこととも関係があったのかもしれない。

十一「龍―RON―」

漫画といえば武専が登場する「龍―RON―」という漫画がある。『ビッグコミックオリジナル』に十年以上にわたって連載されたものだ。[註(一)]

平成二年から連載が始まったというから随分昔の漫画ということになるが、主人公が昭和三年武専に入学するところから始まり、内藤高治をはじめ実在の人物たちが何人も登場する漫画だ。漫画であるから誇張されているところはあるが、よく調べてあって武専がどういうところだったのかをイメージする手助けになるものだろう。

ただ、漫画の舞台は昭和の初め頃で、先生が武専に入った頃とは十年くらいの差がある。稽古の厳しさは同じであったと思うが、上級生と下級生の関係などは、漫画に描かれているのと先生が在学していた頃とではかなり違っていたはずだ。

文庫版で二十一巻あるこの漫画に武専が登場するのは四巻の途中までで、その後舞台は日本から中国へと広がっていくが、そちらについても伝奇的な要素もあってなかなか面白い漫画だ。

【註】

㈠　作者は、『週刊少年サンデー』連載の『六三四の剣』（昭和五十六年）や『スーパージャンプ』に連載された『JIN―仁―』（平成十二年）で知られている村上もとかだ。

十二　「いい稽古をしている。もっとやりなさい」

これは興誠高校の剣道部顧問だった黒川哲司先生（教士七段）から聞いた話である。黒川先生が大学を卒業して興誠高校に赴任した年の夏合宿でのことだ。

赴任以来稽古に次ぐ稽古で生徒を鍛えてきたわけだが、そのあまりの厳しさに、周囲からあれはやり過ぎだというかなり批判的な声が当時上がっていたという。そうした声があることは承知していたが、夏合宿ではさらに厳しい稽古で臨み、午前中の稽古が終わったときには生徒はほとんど倒れんばかりだったという。

そんな午前中の稽古が終わったとき、稽古をずっと見ていた永峰先生から注意されるかもしれないと思っていると、先生は生徒たちに向かって「君たちは大変いい稽古をしている。もっとやりなさい、やればもっと強くなる」といい、黒川先生には「何かあれば私が責任をとるから」といったという。黒川先生はそんな熱い言葉をかける永峰先生に、すごい人だと驚くとともに感謝の念を抱いたという。

そのときの先生は、武専時代の稽古を彷彿とさせるような光景に昂ぶるものをきっと感じていたのだろうなと思う。

十三　叱る

先生の稽古は厳しかったが、先生から叱られたという記憶はない。それは自分たちだけでなく、先輩たちに聞いても叱られたことはほとんどないという[註(一)]。

そういう先生だったが高校生たちを厳しく叱ったことがある。静岡であったか島田であったか、とにかく中部の高校で試合があったその帰りのことだ。先生も我々と同じ電車に乗り浜松駅で降りるときだった。ドアが開くと降りようとする客を尻目に乗り込んで来ようとする高校生たちがいた。

そのときだった。「逆じゃありませんか」大きな声ではないが、腹に響くような迫力のある声で高校生たちを叱ったのだ。その声に圧倒され高校生たちは恥ずかしそうにホームに戻っていった。

同じような場面に遭遇したことがもう一度あった。それは一年生の頃のことだったと思う。稽古が始まる前であったか終わった後であったか覚えていない。先輩たちはいなかった。道場へ剣道部や柔道部とは関係のない上級生たちがやってきて、柔道場の方で箒をバット代わりにしてボール遊びを始めたのだ。上級生に向かって注意する勇気は下級生たちにない。そこへやって来た先生が、その生徒たちに向かってひと言「やめなさい」と鋭い声をかけたのだ。

そのとき一瞬よぎったのは、上級生たちが先生に歯向かってはいくのではないかという不安だった。先生のことを知らない上級生たちから見ればただのお爺ちゃんにしか見えないはずだ。その頃の興誠高校は男子校で荒っぽい連中も多かった。

しかし、そんな心配は全くの杞憂だった。先生の迫力ある一喝にその連中はすぐにボール遊びをやめると、すごすごと道場から出ていったのだ。

浜松剣道連盟会長の柳川さんは一つ上の先輩になるが、日頃物静かな先生が大きな声で審判を叱りつけたのを見たことがあるという。静岡で行われた試合というから総体か国体の県予選のときのことだろう。試合の最中に「○○○、お前は審判を代われ。そんなことをやっているなら帰れ」と叱ったという[註(二)]。

もちろん判定に対してではなく審判の所作というか態度に対してである。先生が審判長を務めていたのかどうか分からないが、そうであっても無くても、とにかく試合が行われている最中にこんな風に審判を注意するというのは普通ありえないというか、いや、あってはならない行為といわれるだろう。そんなことは先生も承知しているはずである。

だが、先生はそのときのその審判のとった行動を見逃せなかった。咎めるべきことはためらわず咎める。揺るがない厳しさを持った人だったと思う。

【註】

㈠ 村木昌弘さんによると、三年間で一度だけだが叱られたことがあるという。試合のときだ。出番の前に立ちあがって体をほぐしていると「動き回るな。じっとして座っていなさい」と叱られたそうだ。永峰先生が試合というものをどう考えていたかがよくうかがえるエピソードだろう。

㈡ この審判は西部地区の高校で顧問をしていた先生だ。大学でも選手として活躍した人だというが、その頃アル中ではないかとの噂もあり、審判をしているときにも酒が入っていたらしい。それからしばらくして定年前だったが退職したそうだ。

十四 ヤギ先生

今でもそうだと思うが、仲間内で自分たちの教師のことが話題となるときに何々先生という学生はほとんどいない。名前を呼び捨てにするか渾名で呼ぶかのどちらかだろう。

ところが永峰先生のことは、先輩たちも我々も後輩たちも、永峰先生という呼び方しかしなかった。そう言わなければならないなどということを意識したこともなかったと思う。今から思えば、稽古をお願いするたびに息も絶え絶えになるような目に合わされているのだから、陰では渾名で呼ぶようなことがあってもおかしくないと思うのだがいつでもどこでも永峰先生だった。自然とそうなるのだ。

もっとも浜松工業学校時代には渾名で呼ばれることもあったようだ。これは『浜松剣道史』編集の中心だった鈴木秀治さんに、資料として、浜工時代の教え子である飯尾巴（教士七段）が提供したものの中に出てくる。

その中で、飯尾は「永峰先生は昭和十二年武道専門家による全国大会で優勝し、その当時は「日本一」という渾名でしたが、その後メーン、メーンの掛声が山羊に似ているということで『ヤギ先生』と渾名で呼ばれておりました」と書いている。

十五　師弟同行

1　一番弟子

浜松工業学校時代の教え子には、高柳輝一（教士七段）や鈴木哲哉（教士七段）、飯尾巴（教士七段）のように浜松地域の剣道界で活躍した人が多い。気賀の四辻交差点近くで薬局を営んでいた小木曽千（教士七段）もその一人だ。

大正三年生まれの小木曽は、永峰先生が昭和六年に浜松工業学校に赴任したとき、最上級生として在籍していたから先生の一番弟子ということになるのだろう。

小木曽が浜工卒業後どういうかたちで稽古をしていたのか分からないが、兵隊として戦争に駆り出され大変な目に合った世代だから、戦前は剣道に集中して取り組むことはほとんどできなかったと思

㊱浜剣道場前

う。

その反動もあるのだろう。『浜松剣道史』などをみると、戦後まだ剣道が表立ってできない頃から先生のもとで稽古を再開したようだ。また、小木曽は地元の道場「錬武館」で後進の指導にも熱心に取り組んだ人だった。

娘の質子さんのところには、利町にあった浜剣道場の入口のところで撮った写真、先生の家で炬燵に入りながら談笑している写真、旅先での写真など、二人で写っている写真が何枚か残されている。いずれも子弟の仲の良さが伝わる、何かほのぼのとするような写真であり、同時に「師弟同行《していどうぎょう》」という言葉が自然と浮かんで来るような写真ばかりだ。

小木曽は浜剣で稽古がある日は、行きがけに先生のところに寄って先生と一緒に出掛け、稽古が終われば先生を自宅まで送るという、まさに文字通りの「師弟同行」の日々を過ごしていたという。

そんな小木曽が突然亡くなったのは一月二日。浜剣の稽古始めの日だった。

この日も小木曽はいつものように先生の家に寄り一緒に利町の浜剣道場に向かっている。初稽古も終わり、先生が参加者に向かって話をしているときだった。突然小木曽が意識を失いその場に突っ伏してしまったという。すぐに病院に運び、先生もそのまま付き添っていったが意識は戻らずそのまま亡くなってしまった。

先生は、思いもかけないこの出来事に大変なショックを受けたようで、先生の孫である真さんから聞いた話によると、小木曽に付き添っていった病院から自宅に先生が戻ったとき、玄関を開けると上り框にへたり込むように腰を下ろし「小木曽が亡くなった」とつぶやくとしばらく身じろぎもしなかったという。

真さんによればあんな姿は見たことがないというくらいにしょげ返り落胆していたというから心痛のほどがうかがい知れる。

㊲談笑する先生と小木曽

【註】

※　写真㊱㊲は宮城質子さん所蔵。

2　親子二代

「入学して一週間くらいしてからかな。先生が教室へやってきて柳川という生徒はいるかというので名乗ると今日から剣道部に来なさいと言われたんだ。家に帰って親父にその話をすると、どういう人だ、名前は何ていうんだというから、こういう感じの人で名前は永峰だというと、そうしたら親父が驚いてそれは俺が浜工の剣道部で教わった先生だといって、翌日、親父は手土産のメロンを買うとオートバイの後ろに自分を乗せ、文丘の先生の家まで挨拶に行ったよ。すると先生が親父に、庄八郎、元気だったか。久しぶりだな。息子は剣道部に入れたからとにかくやらせてみるだなと言ったよ。まあ、それが始まりなんだけど、大学に入るときも先生にお世話になったし、とにかく永峰先生に出会って人生がどんどん変わっていったな」

　これは浜松剣道連盟会長の柳川さんからきいた話である。[註㈠]

【註】

㈠　柳川さんのお父さんである庄八郎は、大正十五年生まれで浜工には昭和十四年に入学している。科はこの年増設された機械科で第一期生ということになる。当時の職員の回想に

　昭和十四年度浜工機械科は、当時の逼迫した時局に応えて、一学年定員五十名、修業年限五年の機械科として、第一期生を募集致しましたところ優秀な志願者が殺到して選考に困った程うれしい悲鳴を上げたことを思い出されます（『創立六十周年記念誌』）

とあり、機械科の立ち上げは戦時体制と密接に関係していたことが分かる。

だから、柳川さんが父親から聞いた話では、学校のすぐ東側を流れる馬込川で、褌一丁になって臨時の橋を架ける（橋は空襲の際に攻撃目標にされて破壊されることが多い）訓練をしばしば行っていたと

いう。本来の工業教育ではなく戦時にすぐ役立つ技能の習得が優先されていたということだろう。

　庄八郎の兄俊治（戦争で亡くなっている）も浜工剣道部で先生の指導を受けている。大変強かった人だという。

十六　百段坂と粉末ジュースの素

　これは先生と直接関係のない話だ。興誠高校（現・浜松学院高）のグランドの南側に白山神社があり、そのすぐ近くに少林寺の方へ下る急勾配の石の階段がある。百段坂と呼ばれる石段で、老人であれば上り下りが危ないくらいの急勾配の石段だ。

　興誠の運動部だった者ならこの石段を使ってトレーニングをしたはずだから、そのきつかったトレーニングと共に百段坂のことをよく覚えているに違いない。剣道部も時々ここへ出かけ、上り下りを繰り返すトレーニングをやったものだ。

　といっても、科学的トレーニングの知識などもない時代だから、それはトレーニングなのかしごきなのか分からないもので、石段をダッシュで駆け上がって設定タイムをクリアできなければもう一度というようなやつだ。駆け上るだけではなく、有害なトレーニング方法として、今は行われなくなったうさぎ跳びをやりながら階段を上ったこともあった。

　そんな無茶苦茶なことは昔からやっていたのだと思うが、昭和三十年代後半から昭和四十年代にかけては、梶原一騎原作の「巨人の星」とか「柔道一直線」、「あしたのジョー」とかいったスポーツ根性漫画の全盛期だったからその影響も少なからずあったかもしれない。

今では考えられないことだが、練習中に水を飲むなということも長い間スポーツ界でいわれ続けてきたことだ。剣道も同じで夏の暑い盛りでも、水は飲むなであり、さらに剣道の場合は、一度つけた面は稽古が終わるまで取るな、が加わった。

それでも稽古中に熱中症のような症状で倒れた者はいなかったのだからその頃の生徒は随分丈夫だったといえるのかもしれない。

とはいえ水は飲みたい。稽古しながらチラチラ見ていたのは窓のレールに載せてある大きなやかんだ。稽古のときは道場の窓は外したからそこにやかんが置けるのだが、その中には、近くの店で買ってきた大きな氷（一貫目くらいはある氷だったかもしれない）が入れてある。氷だけではない。その上に当時売られていた粉末ジュースの素がかけてあるのだ。つまり、稽古が終わった頃には氷も溶けて冷たいジュースが出来上がるというわけだ。

そんなやかんにちらちらと目をやりながら頭に浮かぶのは、長いストローがあれば面を着けたままでもやかんの中のジュースを飲めるのになあ、などという妄想のようなことばかりだった。きっと、みんな同じようなことが頭に浮かんでいたことだろう。

稽古が終わればやかんの蓋をコップ代わりにしてジュースを飲むことができるわけだがそれは三年生だけの話。下級生が飲むことが出来たのは、道場から少し離れた場所にあったトイレの手洗い場の水道水だった。下級生たちは争うようにそこに駆けつけその水を飲んだが、冷たいジュースでなくても生き返るような思いがしたものだ。

この粉末ジュースの素だが、砂糖の代わりに使われていた人工甘味料[註(一)]が人体に悪影響があるということで使用が禁止となり、三年生の頃にはほとんど姿を消していたから、結局、やかんのジュースは飲むことのないままに終わった。

【註】

(一)　主にチクロ（日本の食品衛生法では現在も使用を認められていない）、ズルチン（現在も使用を認められていない）、サッカリン（現在は禁止解除）といった人工甘味料。

十七　国体旗のリレー

去年のことだが、紺屋町で武道具屋を営む森川恭典さん（教士七段）から、二枚のちょっと面白い写真を見せてもらった。一枚は、二十人くらいの人たちが稽古着に垂、胴をつけ、鉢巻姿で街中を走っている写真だ。高校生くらいの若者が六人で大きな旗を持ち、その後ろを小旗を持った者が走っている。もう一枚は、走り出す前に写したと思われる集合写真である。前列真ん中に渡辺武次、その右隣に永峰先生、その後ろに浜松剣道連盟と書かれていると思われる幟を手にする高柳輝一、最後列の真ん中に鈴木哲哉といった人たちが写っている写真㊳だ。

森川さんによれば、昭和三十二年（一九五七）に第十二回国民体育大会[註(一)]が静岡で開催された頃の写真らしいが詳しいことは分からないという。

そこで写真を、郷土史に詳しい浜松市立中央図書館業務アドバイザーの鈴木正之さんに見てもらったところ、撮影場所は分からないが、写真の右上隅にかすかに写っている「逃げだした縁談」と「喜びも悲しみも幾年月」という松竹映画の広告看板を指差し「逃げだした縁談」の封切り日が昭和三十二年の十月八日で「喜びも悲しみも幾年月」は十月一日の封切りだから十月八日以降に撮影した写真だろうと教えてくれた。

これは大きな手掛かりで、夜の街を稽古着に垂、胴をつけ、鉢巻姿で街中を走るというのはかなり目立つことであり、それがその年に開催された国体に関係しているということであれば新聞記事になっている可能性が高い。調べる範囲が十月八日から国体の始まった十月二十六日までであれば調べるのも時間はかからないだろうと、マイクロフィルムに保存されている静岡新聞を浜松市立中央図書館の郷土資料室で読み返してみた。

すると、これは国体旗リレーの一コマだったということが分かった。その記事を次に示す。

十五日午前九時五十七分愛知県よりリレーされて静岡県に入った国体のシンボル聖炎旗は引続き青年団、中学生らの若人の手によって浜名湖岸一帯を走破、午後五時一分浜松市長らが迎える

㊳国体旗リレー

中を到着した。続いて浜松市内の夜間聖炎旗リレーが市役所前を出発、市内の要所要所を各競技団体の選手たちによって運ばれた。先頭に赤々と燃えるタイマツ三本を飾り、オリンピックの聖火リレー、そのままの壮観さをもって秋の陽の落ちた市内を走れば、沿道には市民が出迎え拍手でこれを送った。午後七時四十五分最後の引継ぎ、伝馬町角でボクシング関係者に手渡され、同七時五十分市役所に到着した。（静岡新聞昭和三十二年十月十六日朝刊）

このときのといっていいのか、この頃のといっていいのか分からないが、国体のときにオリンピックの聖火リレーのようなことをしていたものとみえる。

森川さんの所にあった写真は、国体旗を運ぶ六人の若者たちの写真だったのだ。

このリレーの順路だが、前日の新聞によると、市役所→伝馬町→鴨江観音→高町四ツ角→□□（読み取れない箇所）→亀山町角→追分町角→水道部前→元浜町→八幡宮前→昭和橋→西遠女子学園前→東警察署前→松江町→浜工前→ガス会社前→松菱前四ツ角、奥山線東田町駅前、元浜町→協和銀行前→平田町町角、伝馬町角→市役所となっている。

では、浜松剣道連盟の人たちはどこを走ったのか。写真に斉藤軍次さんが写っていることに気付いたので聞いてみると、撮影場所は覚えてないが、昔鴨江小路にあった三省堂書店の前を通って鴨江観音の方まで走ったということは覚えているということだった。ということは、伝馬町の交差点の辺りから鴨江観音までが浜松剣道連盟の担当だったのだろう。

そうすると集合写真の撮影場所だが、利町の浜剣道場（この年、浜剣専用道場が利町にできた）で着替えてから伝馬町の国体旗リレー場所に向かったとすれば、諏訪小路を下って東海道に出てその辺りでというのが一番考えられるが、背景に信号機が写っているから五社小路の方を下って東海道にぶつかる辺りで撮影されたものかもしれない。

国体のシンボルマークは見覚えのある人も多いと思うが、右に傾斜した赤色の松明を青色の帯で丸く囲んだデザインだ。写真を見ると胴にシンボルマークが描かれたシールが貼ってあり、シンボルマークのついた鉢巻を締めている。

先生も同じ姿で写真に写っているから、もしかしたら国体旗を運ぶ若い人たちの後ろを走っていたのかもしれない。

【註】

(一) 剣道競技は三島南高校の体育館を会場に十月二十八日から三十日まで行われた。当時の新聞には試合結果などが当然掲載されているが、十日ほど前の静岡新聞にはなかなか厳しい見方の試合予想が載っている。ここまで書くかというような記事なので剣道関係者は腹を立てたことだろう。

　いずれもBクラスで上位入賞の期待は薄い。一般団体が廿九年に京都で行われた全国大会で準決勝まで進んだのが、本県としては最上の成績だという。

　一般団体

　二回戦で栃木、宮城の勝者と当るが苦戦。これに勝てば四回戦の対岡山戦までは勝ち進むだろう。岡山は本年度全国大会優勝チームであり、本県の勝味はない。

　高校団体

　まず静岡、香川、秋田の三県でリーグ戦が行なわれるが、昨年シナイ競技で優勝した香川も、秋田も全国的にAクラスに位するので静岡の勝算は薄い。

なかなか厳しい書かれようだ。結果はどうであったかというと高校団体については記事にある予想の通りだった。しかし、一般団体は予想を覆して優勝を果たし、剣道関係者にとっては留飲の下がるものとなった。

本県の出場は二回戦からで、栃木と対戦。大将戦で勝って三回戦に進む。北海道に３―２で勝って次の相手は岡山ではなくて長崎。これも３―２の勝ち。準決勝は千葉。これもまた３―２で破り、決勝の相手は東京だった。先鋒、次鋒は取ったが中堅、副将と敗れ、ここも大将戦となったが、大将の杉浦が踏ん張り優勝している。

大会後の新聞に監督を務めた勝瀬光安の話が出ているがこれもなかなか興味深い。少し長いが載せておこう。

地元ではあるし何とかして立派な成績をあげたい。たとえ負けても見苦しいようなことがあってはならないと、いましめ合い精進した。国体まで三回合宿し廿三日からは長岡に合宿して国体会場でけい古にはげんだ。一回戦は不戦勝でせめて二回戦の栃木にだけは勝ちたいと思った。大将決戦となり杉浦君の意表をつく作戦が奏功して勝ってくれたときはうれしかった。三回戦北海道にもうまいぐあいに勝ち、四回戦対長崎はまずだめだと思っていたところ、杉山、市川、永尾君が三点を奪って快勝した。準決勝戦に進出して急に選手諸君らにも欲が出て、千葉は難物だがぜひ勝ちたいと廿九日夜は作戦をねった。作戦試合の駆引き選手諸君がよく守ってくれたので幸いにもきわどいところで勝つことができた。決勝戦の東京にはとてもおよばぬと思ったがホープ市川、永尾君は敗れたものの若手杉山、鈴木君がきれいに勝ち、大将決戦では杉浦君が本領を発揮して試合の主導権をにぎり仲川君を破り夢のような初優勝をとげた。

選手諸君の精進と地元県民の声援が立派な実を結んだものと深く感謝している。

新設の南高体育館は明るく設備もととのい、各県選手は存分に試合ができたと思う。各係の事前の準備よく、試合の進行もスムースに運び、また宿泊、交通にも非の打ちどころなく、立派な国体だった。（静岡新聞昭和三十二年十月三十日夕刊）

㈡ 国体のシンボルマークは右に傾斜した赤色の松明を円帯で囲んだデザインである。

※ 写真㊳は森川恭典さん所蔵。

十八　家庭における先生

1　琴瑟相和

家庭において先生がどのような夫であり、父であったかについて知る由もないわけだが、娘である質子さんや孫の真さんによれば夫婦仲はとてもよかったそうで正月などには先生が尺八、奥さんの貞子さんが箏で合奏などをしていたそうである。

奥さんは戦後目が見えなくなってしまったが気丈な人で、目が見えなくても食事を作ったり洗濯をしたりと家事を人任せにはせず、先生の次男である致さん夫婦が同居しているときなどでも、先生の袴は奥さんが洗濯をして干し、たたむのも奥さんがしていたという。

孫にあたる真さんは、父親の致さんが仕事の関係で四国にいたため、高校の三年間は先生の家から学校に通っていたが、友達が遊びにやって来たとき貞子さんがチラシ寿司を作って出したところ、目の見えないお祖母ちゃんがこれを作ったのかと友達が驚いていたという話をしてくれた。

とはいえ目の不自由な奥さんにはできないことも多くある。料理にしても揚げ物はちょっと難しい。そんなときに先生は、揚げ物は危ないからと代わりにやっていたそうだ。魚の骨なども先生が取り除き「はい、貞子食べなさい」といって食べさせていたという。

先生と奥さんは年が一回り離れているということもあってか、奥さんが不満をぶつけるようなことがあっても、ぶつかり合うようなことはなく、いつも先生が上手にあしらい優しく受けながしていたということだ。

2 ピロンちゃん

質子さんや真さんに聞くところによると、先生は動物が好きで、家でカナリヤやセキセイインコを何羽も飼っていたことがあるという。手乗りにして可愛がったり、その中の一羽にピロンちゃんと名付け、言葉を喋らせる訓練（セキセイインコは音真似をする）をしたりして楽しんでいたというが、ピロンちゃん、ピロンちゃんと呼んで、先生がインコに言葉を教えている場面を見たかったものだ。

先生は犬も好きで、柴犬やダックスフンド、マルチーズを飼っていたことがあったそうだ。

第九章　補遺

以下の事柄については、時代背景を考える資料として本文の中で取り扱うべきことだったのかもしれないが、叙述の流れを澱ませると思い補遺として取り上げることとした。

一　屯田兵

屯田兵について多くの人が持っている知識だが、北海道の開拓に従事しながらロシアに対する防衛にあたった人たちが屯田兵だという、高校の授業で習った程度のものでしかないだろう。僕も同様である。しかし、屯田兵について改めて勉強しなおすといろいろなことが見えてくることを知った。

最初の屯田兵が琴似村（札幌市西区琴似二条付近）に入地するのは明治八年（一八七五）五月のことだが、この屯田兵はすべて士族だった。つまり、屯田兵制度には、北方防衛、開拓に加えて困窮士族の授産（失業者などを一定の場所に集めて仕事を与え、生活の道を立てさせること）という目的があったということらしい。

ただ、最初の屯田兵の出身地は宮城、青森、山形三県に限られていたという。つまり、このときの屯田兵は、仙台藩、斗南藩（旧会津藩）、庄内藩など、明治維新の際に官軍に抵抗し、いずれも明治政府から賊軍の汚名を着せられて厳しい処分を受け、困窮生活を余儀なくされていた藩の士族たちが主だったということだ。表向きの狙いだけではないものがそこには含まれていたということだろう。

最初の屯田兵たちはそのことを屈辱的なことと感じていたに違いない。だからであろう。兵役義務が終われば開拓に携わった広大な土地が自分のものになったにもかかわらず土地を離れる者が多かったという。

　こうした初期の屯田兵に対して、明治二十四年（一八九一）に永山へ入地した者たちの場合は、屯田兵になることへの受け止め方が全くといっていいほど異なっていた。それまで屯田兵に応募できるのは原則士族に限られていたのだが、明治二十三年に法改正があり平民でも応募（十七歳以上三十歳までの男子）が可能になったからだ。それは、困窮士族の授産という目的（そこには不平士族の不満の芽を摘むという目的も含まれる）が消えたことを意味する。

　どういうことかといえば、法改正以降の屯田兵については、国からすると不平士族対策や北方防衛ということよりも内陸開拓に果たす役割というものの方が大きくなってきていたということだ。それは新たに応募資格を得た平民の側、中でも明治維新によって困窮生活に陥った者からすると、屯田兵募集は起死回生の絶好の機会がやって来たと感じられることだったのだ。

　屯田兵としての兵役義務は、現役として三年、その後予備役として四年、後備役十三年の計二十年と長い[註㈠]。しかし、その見返りとして、屯田兵には一戸につき五ヘクタール（一万五千坪）の土地（東京ドームが約四、七ヘクタールだから、東京ドームよりも広い）が支給され、加えて十七坪半の兵屋（居住する住宅兼納屋）が与えられるのだ[註㈡]。

　これをチャンスととらえ、先祖伝来の土地での生活に見切りをつけ新天地での飛躍を求めてという平民が、屯田兵応募者の多数を占めるようになるのも当然かもしれない。

先生の父親もその一人で明治二十四年に北海道に渡っている。その経緯等については後で触れたい。

【註】

㈠「屯田兵」を書くにあたっては『永山町史』（昭和三十七年）、「郷土誌旭川兵村第四号」（平成二十七年）、「旭川兵村記念館資料説明」（平成三十年）、『屯田兵村の百年』（昭和五十四年）その他を参考にしたが、中でも、屯田兵が開拓した永山村（昭和二十九年町制を施行、永山町へ変更）が編纂し、旭川市と合併した翌年（昭和三十七年）刊行した『永山町史』は、編纂された当時屯田兵だった人も数名ではあるが健在だったし、屯田兵の生活をよく知る二世の人たちが大勢いたから、屯田兵に関する記述は詳細を極め、また実に生々しく感動を覚えるほどのものだ。

㈡「屯田兵土地給与規則」に「第一条　屯田兵トシテ北海道ニ移住スル者ニハ一戸ニ付凡ソ一万五千坪ノ土地ヲ給ス」「第三条　屯田兵及ビ屯田兵村ニ給与シタル土地ハ服役中及ビ其満期ノ年ヨリ十年間国税及ビ地方税ヲ免除ス」とあるように屯田兵は優遇されていた。

二　北海道移住と糖業

1　讃岐三白

先生が亡くなった年の四月か五月頃だったと思う。お宅にお邪魔したときのことだ。どうしてその話になったのか覚えていないのだが、父親である利三郎がなぜ北海道への移住を目指したのかという話を先生が語ってくれたことがあった。

あのときもっと関心を持って先生の話を聞いておけばよかったと今つくづく思うわけだが、若いときというのは仕方のないもので、興味を覚えもう少し詳しく、とそのとき感じたことであってもまたの機会に聞けば、という気持ちがどこかにあり、せっかくの機会を逃してしまうことが多いものだ。またの機会というものがあるとは限らない。むしろないことの方が多いということは歳を重ねるほどよく分かる。

それはともかく、僕がかろうじて覚えているのはこのようなことだ。先生によれば、永峰家は祖父の代まで香川の方で大きく糖業を営んでいた。ところが、明治になり外国から国内産の半値くらいの値段の砂糖が輸入されるようになると、香川の糖業は、もちろん永峰家もだが、太刀打ちできなくなってしまい、それが北海道に渡ろうとしたきっかけだった。ところが当時、香川県からの北海道移住は禁止されていたので、籍を徳島に移してから移住したというような話だ。

ここで移住のきっかけとなったという四国の糖業について少し長くなるが触れておきたい。讃岐三白《さぬきさんぱく》という、香川県の特産品を指す言葉がある。江戸時代に高松藩が殖産を奨励した塩・砂糖・綿（綿の代わりに米という説もある）のことだ。

永峰家先祖伝来の地が香川県大川郡相生村字吉田（東かがわ市吉田）であることを知り、吉田について少し調べてみたのだが、吉田周辺は讃岐三白の一つに数えられる砂糖の生産が盛んだったことが分かってきた。註(一)

この辺りは、地質地形等の関係で水が不足しがちな土地であったため米作に不向きだった。そこで、高松藩の後押しもあって代替作物として比較的乾燥に強い砂糖キビ栽培に取り組み、それを原料とした砂糖づくりが十九世紀中ごろから急速に盛んになり、幕末の頃には最盛期を迎え、主産地の大川郡では辺り一面が砂糖キビの林のようだったという[註二]。

このように糖業が盛んになったのは高松藩の奨励と保護があったからだが、それは、製糖業者や砂糖キビ生産農家への資金援助、粗製濫造を防止するために認可された者以外の製糖禁止、大阪に砂糖会所を設け砂糖の一括販売というかたちで行われた。ＪＡが地元のブランド農産品の生産管理、流通を一括して行うのと同じようなことだろう。

糖業による収益は米作りの二倍以上あったというから、これによって高松藩の財政は潤うわけだが、製糖業者や砂糖キビ生産農家もまた大いに潤い、豪農があちこちに出現したという。

糖業に携わる人を分けると、砂糖キビの栽培[註三]に従事する者、栽培と白下糖[註四]までを製造する者、製品である和三盆[註五]販売までを営む者、さらに藩から資金の提供を受けて糖業者に融資を行う砂糖問屋（九軒）ということになるが、「永峰家は祖父の代まで」「大きく糖業を営んでいた」ということから考えれば砂糖キビを栽培するだけの農家であったとは考えられない。吉田地区は今でも永峰姓が多く（平成五年の統計では三谷姓に次いで多い）、引田町と合併する前の相生村村長に永峰姓の者がいたりすることなどを考え合わせると、先生のところは祖父の代まで製品販売までを営む経済的に恵まれた農家だったのではないかと思われる。

以上みてきたように隆盛を誇った讃岐の糖業だが、廃藩置県によって高松藩が消滅したとき、その後ろ盾を失い、砂糖キビの栽培面積が六割近く減ってしまうほどの大打撃を受けてしまう。しかし、糖業の立ち直りは早く、明治十年代の初めには最盛期の頃の栽培面積に戻ったという。

確かに高松藩という後ろ盾を失った事は大きかったが、砂糖に対する高い需要があったから、生産流通機構が整いさえすれば回復は早かったのだろう。作られた砂糖は江戸時代同様大阪に送られてから全国に販売されたが、香川県産の砂糖は大阪で扱う砂糖の四分の一を占めその量は全国一だった。先生の家でも江戸時代同様糖業に携わっていたと思われる。

ところが、外国から安い砂糖が輸入されるようになってくると再び糖業は陰りを見せはじめ、明治十四年をピークに衰退の一途をたどっていく。日清戦争（明治二十七年）後割譲された台湾で砂糖の生産が始まったことも衰退に拍車をかけたようだ[註(六)]。

糖業を巡るこうした変化とその影響をどこまで見通していたのか分からないが、利三郎やその父の禧三郎が早い頃から糖業の先行きに不安を感じていたのは確かなことだと思う。

そんな彼らが、ほかの選択肢もある中で、北海道への移住を考えたきっかけが何であったのか、また何時の頃からなのかについてはよく分からないが、そもそも香川県というのは早い段階から北海道への移住者があったところで、最も早い移住は明治十五年の春以前にさかのぼるらしい。

本格的な移住は明治二十年（一八八七）に洞爺湖の東北岸に入植したときとされるが、明治二十四年（一八九一）には官民一体の「香川県北海道移民奨励会」が結成されるなど、他県に比べると北海

道移住というのは香川県民の間ではかなり関心が高く、北海道移住は盛んだったという。[註㈦]

ただ、ここで首を傾げたのは、香川県からはそれまでも大勢北海道へ渡っていたのに、父親が籍を徳島に移して移住したのは、当時香川県からの北海道移住が禁止されていたためだという先生の話との矛盾だ。

『香川県史』の「第五節北海道移住と屯田兵志願」などに目を通しても、香川県からの北海道への移住禁止とか屯田兵への応募が出来なかったというような記述は一切ない。先生の話との食い違いをどう考えればいいのか。

ようやくその答えを見つけた。何度も目を通したはずの『永山町史』にそれは出ていた。

> 永山屯田入地者として二十三年十一月より東北は山形、宮城県より南は鹿児島県まで十県にわたって募集され、応募者検査に合格した四百戸、家族を入れて二千四百名。二十四年六月それぞれの指定地に集合、輸送船日の出丸や金沢丸、共に二千トン級で輸送せられる。

とある。山形、宮城、新潟、愛知、和歌山、兵庫、岡山、徳島、高知、鹿児島の十県だ。要するに香川県は屯田兵募集対象県ではなかったのだ。だから利三郎は籍を移したというわけだ。先生の話に何の矛盾もなかった。

明治二十四年の屯田兵四百名には徳島県出身者が百十三名と、他県より圧倒的にその数が多い（次に多いのは宮城県の四十八名）が、この中には、利三郎のように近隣の県から徳島県へ籍を移した者が少なからずいたのだろう。

【註】

㈠　讃岐の糖業に関しては『香川県史第5巻（通史編近代Ⅰ）』、『引田町史　近・現代』、『東讃産業史』、「企画展　東かがわの砂糖づくり」（東かがわ市歴史民俗資料館企画展パンフレット）等をもとに記述した。また、香川県立図書館及び東かがわ市立図書館から様々なご教示をいただいた。記して感謝の意を表する。

㈡　明治三十二年（一八九九）四月一日、それまでの大内郡と寒川郡が一つとなって大川郡が発足。吉田は大内郡に属していた。

㈢　栽培する砂糖キビは、沖縄などで栽培されているものとは異なり竹糖（ちくとう）と呼ばれる茎が細い砂糖キビで、糖度が高くなる十二月頃に収穫する。

㈣　収穫した砂糖キビを砕いて搾った「糖液」を煮詰め結晶化させたものが白下糖と呼ばれる粗製の砂糖である。

㈤　白下糖から糖蜜を抜く作業を何度も繰り返し行って出来上がったものが和三盆と呼ばれる砂糖だ。

㈥　外国産の安い砂糖によって糖業が衰退したのは香川県だけのことではない。身近なところでも同様のことが起きていた。

　十一月の下旬頃になると毎年のように「よこすかしろ」のことが新聞に取り上げられる。去年も「掛川市横須賀地区伝統の白下糖『よこすかしろ』の製糖作業がこのほど始まった」という記事が出ていた（静岡新聞令和元年十一月二十七日朝刊）。

　現在つくられている「よこすかしろ」というのは、竹糖という在来種の砂糖キビからの搾汁を大鍋で煮詰めて結晶化させた白下糖のことだ。

　白下糖から糖蜜を抜いて出来上がる砂糖がいわゆる和三盆と呼ばれる砂糖だが、横須賀の辺りでは領主である横須賀藩の保護政策の下、この和三盆（横須賀藩では「横須賀三盆白」と呼んでいた）を量産し、江戸や大阪に送られて全国に販売されていたという。

　しかし、明治維新によって藩が消滅し、藩による保護政策が解かれ、加えて海外から安い砂糖が輸入されるようになると糖業はしだいに衰退し、大正から昭和にかけてわずかには製造されていたものの、昭和三十年代には全く作られなくなったという。（以上は、公益財団法人日本特産農作物種苗協会発行の『特産種苗』第十二号―特集甘未資源作物生産動向さとうきび――「再北限の砂糖キビ産地静岡県掛川市における地砂糖『よこすかしろ』の再興について」大須賀町商工会特産品委員会〔平成二十三年〕参照）。

　つまりは横須賀でも香川と全く同じことが起きていたわけである。糖業の衰退に拍車をかけたという台湾の糖業発展の礎を築いた台湾製糖株式会社の初代社長は「日本製糖業の父」と呼ばれる鈴木藤三郎だが、彼の出身地である森町には横須賀藩の領地（城下地区）もあったからちょっと皮肉な話だ。

(七)　香川県や徳島県からの北海道移民は『坂東幸太郎傳』によると「一般・団体移民で群を抜いて多いのは石川・青森両県の三万人以上、次いで四国香川・徳島両県合わせての二万五〇〇〇人」とあり全国で二番目に多かった。

2　利三郎と糖業

　利三郎が籍を移してまでも屯田兵になろうとしたのは、前述したように、屯田兵には一戸につき一万五千坪という東京ドームよりも広い土地が支給されるという、一般の移住よりも条件がはるかによかったことが大きな理由だろう。とはいえ、屯田兵は兵役期間が長く大変な任務なのだ。それでもなお屯田兵の道を選んだというのは、何としても広大な土地を自分のものにしたかったからだろう。

　これは憶測に過ぎないが、利三郎は新しい糖業に取り組もうとしていたからではないか。これには根拠がないわけではない。先生から、利三郎が北海道でビート（砂糖ダイコン・甜菜《てんさい》）の栽培を試みたという話を聞いたことがあるからだ。それはこんな話だった。

　父が北海道へ移住してみるとまだまだ原野ばかりであり、食べていくのがやっとで、とてもビートを大量に作り精製糖にすることは無理だった。しかし、精製する前の砂糖までは作った。これは恐らく北海道では初めてのことだったと思う。

　先生の話の通りだとすれば利三郎が取り組もうとしたのはビートを原料にした砂糖づくりである。四国でずっと手掛けていたのは砂糖キビから作る砂糖だったが、砂糖キビは南方系の植物だから北海道での栽培は無理だ（砂糖キビの商業ベースに乗る栽培の北限は掛川市の横須賀地区だという）。

　そこで利三郎が目を付けたのは北海道で始まっていた甜菜（砂糖ダイコン・ビート）の栽培ではなかったかと思う[註㈠]。

　前述したように香川県から北海道に渡った者は多い。その中には故郷で糖業を営んでいた者も少なからずいたはずで、利三郎はそういう者から北海道におけるビート栽培の情報を得ていた可能性がある。もちろん原料があれば誰でも砂糖が作れるというわけではない。しかし、利三郎には原料が異なるとはいえ砂糖づくりのノウハウがある。何とかなるのではと考えたとしてもおかしくはない。ただそのためには、とにかく広大な土地が必要になる。確実に広大な土地を手にするためには屯田兵に、ということがあったのではないだろうか。

そして目論見通り屯田兵として北海道に渡ることになったわけだが、それにしても大変な決断であり選択だ。そのきっかけとなるものについてこれまであれこれ考えてきたわけだが、それが何であれ、きっかけとなるようなことがあったからといって行動に移せるというわけではない。

これを例えでいえば、針で刺したからといって膨らんでいない風船は爆ぜないというようなことだ。爆ぜる（行動する）ためには風船が空気でパンパンに膨らんでなければならない。この空気に当たるものが利三郎の場合は何だったのだろうか。

話が飛躍することを承知でいえば、それには時代の精神というものが大きくかかわっているように思う。ここでいうところの時代の精神とは、世の中の風潮、傾向、趨勢といったようなことをさす。簡単に言えば、ご維新を迎えて世の中は大きく変わったのだという、利三郎が北海道移住を考えた頃の世の中に広く行き渡っていたであろう気分ということになる。

改めて言うまでもないことだが、江戸時代は徹底した身分社会であり、居住の自由も職業選択の自由も大きく制限されていた。所詮はどの身分に生まれたかによってその人間の生涯の大方は決まる世の中だった。身分の壁を越えようとすれば手痛い目に合う。だから分をわきまえ、生まれた土地で先祖伝来の仕事に熱心に取り組むことが望ましい生き方とされていたのだ。去年文部科学大臣が「身の丈に合った勝負をすればいい」という趣旨の発言をして非難を浴びたが「身の丈に合った」というのは江戸時代であればスタンダードな生き方だったのだ。

その大前提であった身分というものを否定したのが明治維新だった。

明治天皇は「五箇条の御誓文」において「官武一途庶ニ至ル迄各其志ヲ遂ケ人心ヲシテ倦マサラシメン事ヲ要ス」として、身分にとらわれないようにと説き、福沢諭吉は明治五年に出版された『学問のすゝめ』において

「天は人の上に人を造らず人の下に人を造らず」と言えり。されば天より人を生ずるは、万人は万人みな同じ位にして、生まれ乍ら貴賤上下の差別なく、万物の霊たる身と心との働きをもって天地の間にあるよろずの物を資り、もって衣食住の用を達し、自由自在、互いに人の妨げをなさずしておのおの安楽にこの世を渡らしめ給うの趣意なり。

と記した。スマイルズの『自助論』は『学問のすゝめ』よりも一年早く、明治四年に中村正直訳『西国立志編』として静岡で出版されたが、そこで展開されているのも出自ではなく本人の努力の大切さである。

社会学者で京都大学名誉教授の竹内洋は「五箇条の御誓文」は「『身分相応』ではなく『実力相応』

の時代を煽り立てた政府文書」であり『学問のすゝめ』や『西国立志編』は「立身出世の焚きつけ読本であった」という[註(二)]。

そこにある「実力相応」の時代という認識がより熱気を持ったのは、明治政府の高官のほとんどがかつては下級武士だったというような事実があったからだ。

とはいえ、その頃までの多くの人間は、分相応に生きることや生まれ育った先祖伝来の土地への執着が身体の奥まで染みついているから簡単に生き方を変えることが出来たわけではないが、それでも時代は変わったという認識はあったはずだ。ましてや利三郎のような明治生まれの人間であれば、父や祖父に比べると、はるかに先祖伝来の土地を離れることへの抵抗感は少なかったに違いない。

そんな風に考えると利三郎もまた時代の子であり、「実力相応」の時代という風を受けて、これまでとは異なる生き方への希望というものが大きく膨らんでいたにちがいない。

【註】

(一) 北海道立総合経済研究所編『北海道農業発達史上巻』(昭和三十八年)によれば、北海道における甜菜《てんさい》栽培への取り組みは随分早く、明治四年(一八七一)には札幌官園でその栽培試験が行われている。この背景として、明治政府が様々な分野で「封建的な生産方法から近代的な資本主義的生産方式へ、急速に転化、育成する方策が採られた」ことがあったという。

甜菜が有望な商品作物になるとして栽培を推奨したのは「少年よ大志を抱け」で知られる札幌農学校のクラーク博士だ。

その頃「徳川封建制下の時代から生産を続けてきた小経営の甘藷糖が、海外の各国植民地で発達した輸入甘藷糖に圧倒されて衰退しつつあ」ったことを危惧し、「国民経済の上から、砂糖の輸入をおさえて自給する必要」もあり、糖業の保護政策にのり出していた明治政府は、明治十二年（一八七九）、紋鼈（北海道伊達市錦町）に官営製糖所を設立している。

その後、この官営製糖所は明治十九年（一八八六）に民営に移すことを決定し、翌年、紋鼈製糖株式会社に貸し下げられている。この会社に対して北海道庁は手厚い保護政策を加えているのだが、経営はうまくいかず明治二十九年二月に解散している。政府の支援を受けた企業であっても経営は困難なのだ。ましてや個人で製糖業を営むなどということは不可能であっただろう。

㈡　竹内洋『立身出世主義近代日本のロマンと欲望』（平成九年）

三　坂東幸太郎と永峰家

坂東幸太郎という人を初めて知ったのは、屯田兵や糖業について香川県立図書館や東かがわ市立図書館に協力してもらいながら調べる中でのことだった。第一章でも述べたが『引田町史　近・現代[註㈠]』にこう出ていた。

> 家庭の事情で幸太郎が九歳の時、父善次郎の叔母の嫁ぎ先である徳島県板野郡八幡村（現市場町）の永峰家をたより、家族五人徳島県へ移住した。（中略）当時、永峰家からも利三郎が徳島

㊴永山神社

> 班一員として既に入植していた。利三郎の手紙などで現地の開拓事情を知るにつけ、善次郎は屯田兵の資格はなかったが、坂東家の再興を夢見て、一家をあげて北海道移住を決意した。時に父善次郎四〇歳母マン三六歳長女タネ一三歳長男幸太郎一〇歳二男嘉一郎三歳であった。

これを読み、これはもしかしたらと思ったが、東かがわ市立図書館によると、利三郎については町史のここに登場するだけでそれ以上の情報はない[註(二)]ということだったので、利三郎が先生の父親なのかどうかは確認できなかった。

これからすぐのことだった。質子さんから先生の戸籍謄本を見せてもらう機会があり、それをみると、そこに先生の曾祖母ヨネについて「大内郡吉田村坂東峰松長女」とあったのだ。

峰松は幸太郎の祖父である。ということは、ヨネ

は幸太郎の父親善次郎の姉（二人の年齢からして）であり、従って幸太郎の伯母にあたるのだ。[註三]

実にややこしいが、ヨネは先生の父親利三郎の祖母だから、利三郎からすると、年齢は自分の方が十歳ほど年上（利三郎は明治四年、幸太郎は明治十四年生まれ）になるが、幸太郎は従伯叔父（いとこおじ）ということになるのだ。

同じ頃、旭川市中央図書館から、永峰利三郎の名前が永山神社境内にある石碑に刻まれていることを教えられた。永山神社というのは明治三十一年に永山兵村に造営された神社だ。[註四]

図書館から送ってもらった資料によると、大正五年に「御大典天盃酒肴下賜記念」[註五]として神社に奉納された石碑に「香川県大川郡相生村出身／明治二十四年　屯田兵永峰利三郎家族として入植／永峰實太郎　八十四歳」と刻まれている。「實太郎」は利三郎の祖父に当たる。ヨネの夫だ。そして「香川県大川郡相生村」とは坂東幸太郎の生まれ故郷の村である。[註六]

その後『坂東幸太郎傳』に目を通すと、「永峰利三郎の祖父の妻が善次郎の姉ということで、つけ加えれば利三郎の娘が後、旭川隣保会を開いた松田勲である」[註七]とはっきり記されていた。

㊵「御大典天盃酒肴下賜記念」碑

坂東家は北海道移住にあたって住所を「徳島県阿波郡八幡村」（現徳島県阿波市市場町）に移しているが、ここは永峰家が相生村から転住してきたところである。坂東家と永峰家は親戚でありかなり近しい関係だったことが分かる。

【註】

㈠『引田町史　近・現代』引田町史編さん委員会編（平成七年）
ちなみに『引田町史』は東かがわ市のホームページで閲覧できる。

㈡『別冊徳島県歴史人物事典』徳島新聞社（平成六年）にも利三郎のことが出ているが、「阿波郡八幡村（市場町）出身。明治二十四年七月に永山西兵村へ入植」とあるだけで、坂東家とのかかわりについては出てこない。

㈢『坂東幸太郎傳』に「永峰利三郎の祖父の妻が善次郎の姉」とある。『引田町史』に「父善次郎の叔母」とあるのは間違いだろう。

㈣『創祀百年記念　永山神社史』永山神社創祀百年記念史編集委員会（平成九年）によると「明治二十五年有志が相謀って今の永山駅裏に小さい祠を建てて天照大神と大国主神の御分霊を御神体としておまつりし、心の寄りどころとして崇拝したのが永山神社の起源」とある（神社は宗谷本線開通の関係で明治四十五年に現在の場所に移転している）。

㈤大正天皇が即位したとき、八十歳以上の長寿者に木杯や酒肴料が下賜されたが、それを記念して境内に立てた石碑。二つの鳥居をくぐって参道を進み太鼓橋を渡り十㍍くらい先の左手側に立っている。

この石碑や永峰家について何か伝わっている話がないかと永山神社の宮司さんに聞いてみたが特にないとのことだった。

㈥　昨年（令和元年）秋に訪れてみたが、集落の中心にある二宮神社（創建は不明だが石灯篭には元禄六年とあるというから三百年以上前から地元の産土神だったようだ）から見渡すと、周りのほとんどが田畑で、その一部にまだ刈り取りのすんでいないサトウキビ畑があった。この辺りの風景は恐らく百五十年前と変わらないであろうと思われた。

今でもサトウキビ畑があるのは、この地区には伝統的な製法で和三盆を作っている江戸時代から続く店があるからだろう。

㈦　旭川隣保会は、大正十三年（一九二四）に廃娼運動などで知られる佐野文子が中心となって開園した旭川託児所愛児園がその始まりである。佐野が病のため愛児園を退いた後、先生の妹である松田勲《いさを》が引き継ぎ、組織を社会福祉法人とし現在まで活動を続けている。

戦後になってからのことだが、先生の長女渥子さんは叔母勲の仕事を手伝い、隣保会第二保育園を運営していた。

渥子さんの夫柴田登志雄は、浜松師範を出た後満州で教員をしていたが、終戦後は聖隷福祉事業団創立者の長谷川保のもとで働いていた。その後、渥子さんと共に旭川に移り、その後旭川市議を務めた。柴田は、昭和四十三年に天皇皇后両陛下が北海道百年記念祝典御臨場のため来道した際には、市議会議長として拝謁を賜っている。

四　大河内三千太郎

1　不二心流と大河内一門

大河内三千太郎だが、旭川では『旭川市史』や『旭川剣道史』をはじめいろいろなところに取り上げられている。また、この人について研究している人も何人かいて、その中の一人、今井勝人は研究成果をまとめた本を刊行している。以下については今井が調べたことを主な参考資料とした。[註(一)]

三千太郎は弘化三年（一八四六）に現在の木更津市で生まれた。実家は「島屋」という屋号の、大いに繁盛した染物屋だった。従って武士というわけではないのだが、大河内家の先祖が武士だったこともあってか郷士的な存在だったようだ。

大河内一族は代々剣を学び、特に本家を継いだ大河内縫三郎は、江戸に出て中村一心斎[註(二)]の門人となり、後に一心斎が始めた不二心流の二世となっている。縫三郎は、実家（下総国匝瑳郡共興村西小笹、現・匝瑳市西小笹）その他に道場を構え近隣の者を指導したという。

縫殿之介の弟の幸左衛門（三千太郎の祖父）も不二心流を学び、木更津の店の傍らに兄同様、道場を設けて、店の小僧から手代や番頭、それから近隣の者にも教えていた。[註(三)]

なぜ道場を設けてまでに熱心に店の者に学ばせたかという大きな理由は、商売上大金を持ち歩くことが多く、護身用に剣術を身につけさせる必要があったからだ。

道場を構えるというのはともかく、家の者や店の者に剣術を学ばせるというようなことは全国どこでもあったようで、同じような話が江戸時代の遠州森町にもある。

㊶島屋跡の公園

江戸時代の森町は、全国の相場を左右するといわれたほど古着商いが盛んで、古着商たちは仕入れや販売のため、遠くは東北まで足を運ぶこともあり、そんなときには鎖帷子を身に着けて出かけたこともあったというから、当然そういう者たちは多少なりとも剣の心得を必要としていたはずだ[註四]。

森町のそんな若い連中に勝小吉がしばらく教えたことがある。小吉というのは幕末に活躍した勝海舟の父親だ。剣の腕は確かだが、親戚の間では何とも手がつけられぬという意味で「柄の抜けた肥びしゃく[註五]」と言われていたくらいの不良旗本だったというが、この男が江戸を勝手に抜け出して森町にしばらく滞在していたことがある。

後年、小吉はそのときのことを『夢酔独言』の中に、これは福沢諭吉の『福翁自伝』とともに自叙伝の傑

作としてよく知られているが、書き残している。註(六)

話がそれた。三千太郎のことに話を戻す。彼の父親一郎も子供の頃から不二心流を学び江戸でも修行している。三千太郎もまた同じような道を歩み、文久三年（一八六二）十八歳のときに江戸に出て、心形刀流伊庭道場に入門し、次いで直心影流榊原鍵吉に入門したという。

伊庭道場といえば、最後まで官軍に抵抗した伊庭八郎が有名だが、八郎は三千太郎の三歳上だからほぼ同世代。もし彼が伊庭道場の門をたたいていたとすれば、八郎とは道場で稽古をつけてもらった仲ということになるのだがこの辺りのことはよく分からない。

また、三千太郎が鎖鎌術を誰から学んだのかについても同様だ。

【註】

(一) 今井勝人『蚊遣り―北の剣士大河内三千太郎及び旭川ゆかりの先人たちについて―』（平成二十三年）

(二) 不二心流は綿谷雪・山田忠史編『武芸流派大事典』（昭和四十四年）に

不二心流・不二浅間流ともいう。肥前島原の人、中村一心斎正清。字は一知。呑竜と号した。天明二年生まれ。八歳のとき、島原藩士板倉勘助勝武に、浅山一伝流を学んだ。寛政十一年、江戸に出、都築与平治、津田武太夫らに浅山一伝流を学び、後、いったん病気療養のため島原に帰郷したが、やがてまた江戸に出、鈴木斧八郎重明の塾頭たること三年、ついで江戸八丁堀に道場を開いた。その間、心形刀流を学び、また神道無念流の戸賀知道軒の門にも入る。文政元年六月、富士山に登って百ヵ日の大行を積み、九月のある夜、霊感を得て不二心流を開創した。

とある。流祖の中村一心斎については

右一心斎は甚感なる人にて、歳七十余に及で、常州水戸藩へ試合ひ申し入れ、若き者を相手に致しことごとく勝利を得たり、中にも水戸第一の第一等の達者なりと云はれたる鵜殿力之助などとは終始勝負つかざるよし。尤も老衰せしゆへ何れも三本限りの勝負なりと云ふ。何にいたせ感服の人なり（千葉栄一郎編『千葉周作遺稿』）。

と北辰一刀流の流祖千葉周作が評しているくらいだから江戸でもよく知られた一流の剣客だったようだ。

㈢　三千太郎の実家があった場所は現在公園になっているが、そこから歩いて数分のところにある八幡神社の境内に道場があったという。現在は神社の駐車場になっている。

㈣　この話は『森町史　通史編　下巻』（平成八年）に出てくる。

㈤　子母澤寛『ふところ手帖』中公文庫

㈥　小吉は『夢酔独言』（東洋文庫）にこう記している。

夫から遠州の掛川の宿へいつたが、昔帯刀を世話したことを思ひ出したから、問屋へいつて、「雨の森（天宮）の神主中村斎宮まで水府の御祈願の事で行くからかごを出せ」といふと、直にかごを出して呉たから、乗つて森の町といふ秋葉街道のしくへいつた。宿でかご人足に聞たら、旦那は水戸の御使で中村さまへいかしやるといつたら、壱人かけ出して中村へゆきおつたが、ほどなく中村親子が迎ひに出てきたから、おれがかごから顔を出したら、帯刀がきもをつぶして「どふしてきた」といゝおるから、「内へいつてくわしく咄そふ」とて帯刀の座敷へ通りて、斎宮へも逢たが、江戸にて帯刀が世話になつたことを厚く礼をいゝおる。夫からおれが江戸の様子をはなして、「思ひだしたから逢いにきた」といつたら、親子が悦で、「まづ〳〵ゆる〳〵と逗留しろ」とて、座敷を一間明て、

不自由なく世話をして呉たから、近所の剣術遣ひへ遣ひにゆくやら、いろ〳〵すきなことをしてあそんでいた。（中略）

毎日〳〵外村の若ひ者が来てけいこをして、その跡では方々へ呼れていつたが、きものはでき、金も少は出来て、日々入用のものは通ひ帳が弟子よりよこしてあるから、たゞ買て遣うし、こまることもなく、そこより七里脇に向坂といふ処にさぎ坂浅太郎といふがいるが、江戸車坂井上伝兵衛の門人故、江戸にてもけいこもしてやつたもの故、そこへ度々いつて泊まっていたが、所の代官故に工面もいゝから、おれのことはいろ〳〵して呉、夫故にうか〳〵として七月三日まで帯刀の内に逗留していた。

中村家は天宮の宮司を代々務めた家で、屋敷は天宮の大上《おおかみ》というところにあった。小吉が滞在したその屋敷跡が残っている（当時の建物などは残っていない）。入り口に案内板があり、そこにも

古着商家だった古老の話では「現金をもって、東北の方や伊勢の方へ商いに出かけたが、鎖の帷子（かたびら・単衣の着物に細い鎖を平らに編んだものを綴じ込んだ簡易な防具）を着て鉄格子の脛巾（はばき・サッカーで用いるすねあてのようなもの）をつけて旅に出た。そうしたことから、身を護るために剣道をならっていた。」ということである。（ ）内は筆者加筆。

とある。

2　戊辰戦争と三千太郎

慶応三年（一八六七）十一月大政奉還が行われ、翌慶応四年（一八六八）四月十一日に江戸城明け渡しとなるとこれに不満を抱く者たちは、幕府の歩兵奉行として洋式歩兵を率いる大鳥圭介もその一

人だが、官軍と戦うため昔から佐幕色が強いとされる下総、上総、下野方面に相次いで脱走する。

そうした中、木更津にやって来た、福田八郎右衛門、江原鋳三郎（素六）率いる撤兵隊《さっぺいたい》と伊庭八郎、人見勝太郎率いる遊撃隊は、木更津あたりを治める請西《じょうざい》藩主林忠崇《ただたか》や地元の有力商人で不二心流の道場を構える大河内一門に協力を求めた。[註(一)]

大河内一門である三千太郎はこれに加わり、初めは撤兵隊と一緒に官軍と戦い、撤兵隊が早い段階で敗れて崩壊すると、今度は遊撃隊に加わって各地を転戦し、旧幕府軍が函館五稜郭で降伏するまで戦い続けるのだ。

これは実に理解しがたい話で、大河内一門は剣術の稽古をしていたかもしれないが所詮は武士ではないし、江戸との交流が盛んな土地の有力な商人だから時勢に疎いはずもなく、錦の御旗は新政府側にあり、撤兵隊や遊撃隊などに勝ち目がないことは承知していたに違いないのだ。そうだとすればなぜ加わったのか。それだけではない。三千太郎が初めに撤兵隊と共に行動したことも解せない。

1のところで三千太郎が心形刀流の伊庭道場で学んでいたことに触れたが、もしそれが事実であれば、「伊庭の麒麟児」とか「伊庭の小天狗」と称された幕末の名剣士伊庭八郎からは稽古をつけてもらっていたはずで、年齢も近いから親密な付き合いもあったと思われる。

それに対し、撤兵隊隊長の福田と個人的につながりが三千太郎にあったとは思えない。[註(二)]にも拘らず、遊撃隊ではなく撤兵隊と行動を共にしたのはなぜなのか。

はじめから遊撃隊に加わっていていいはずだという理由は八郎との関係だけではなく他にもある。

請西藩主林忠崇との関係だ。忠崇は早くから官軍と戦うことを決意していたが、撤兵隊やその隊長である福田にあまりいい感じを持たなかった。しかし、遊撃隊やそのリーダーである伊庭八郎と人見勝太郎に対しては高く評価し、撤兵隊とは連携せず、大名でありながら家臣と共に脱藩して遊撃隊と行動を共にする。

『脱藩大名の戊辰戦争―上総請西藩主林忠崇の生涯』の著者中村彰彦によれば、林忠崇の加わった遊撃隊は、義のために立ち上がった部隊として「上総義軍」と呼ばれ、地元では今でも好意的に見られているという。しかも、林忠崇は木更津の領主でもあるのだ。しかし、なぜか三千太郎はじめ大河内一門は、地元で反発を受けていた撤兵隊に加わって官軍と戦っている。

永峰先生からどんどん離れていっていることは承知しているが、この辺りのことは、どうしてだろうと興味惹かれることばかりなので、興の赴くままにもう少し続けたい。

同じ事を繰り返すが、剣を学んでいたとはいえ、所詮は染物屋を営む一介の商人に過ぎない三千太郎に、勝ち目のない戦いに加わる義のようなものがあるとは思えない。[註三]

一方、八郎たちは違う。勝ち目のない戦いであることは承知していたはずだが、彼らは、勝つか負けるかということにではなく、戦うことそのものに意味を見出していた。戦うことが徳川武士の意地を見せることだからだ。戦わなければ自分の拠って立つものすべてを失うことになってしまう。そういう点は譜代大名林忠崇も同じだ。藩主自ら、付き従う藩士とともに脱藩して戦いに参加し意地を貫き通している。彼らはある意味死に場所を求めて戦っていたといえるかもしれない。[註四]

三千太郎が最後の最後まで戦いに加わっていたことからすると、彼ら同様死に場所を求めていたと言えなくもない。とすればそれはなぜなのか。

三千太郎が戦いに参加した経緯を知る資料は一切ないようだが、今井勝人は、三千太郎が勝ち目のない戦いに最後まで加わっていたのは、彼の妻の死が関係しているのではないかと想像している。

三千太郎は慶応元年（一八六五）二十歳のときに二つ年下の「なを」という女性と結婚するのだが、翌年五月「なを」は出産時に子供と共に十九歳の若さで亡くなっているのだ。勝ち目のない戦いに三千太郎を駆り立てたひとつの要因に、若い妻と子を亡くした喪失感があったのではという今井の想像は頷けるように思う[註五]。

【註】

(一)　撤兵隊は「江戸幕府が文久年間（一八六一～一八六四）に創設した洋式の歩兵」（『広辞苑』）で、木更津へは隊長福田八郎右衛門に率いられてやって来る。フランス式の訓練を受けた洋式歩兵だから装備等も新式だが、地元民に対して高圧的な態度で臨んだりするなど、兵としての質は低かったようだ。それを見て取って請西藩主の忠崇は、早々に撤兵隊とは袂を分かち別行動をとっている。

　兵としての質が低い撤兵隊に対し「幕府が安政三年に（一八五六）四月に開設した講武所で刀槍柔術を教授した旗本御家人。そこから十四代将軍家茂の奥詰衆（いわゆる親衛隊）に選抜された腕達者たち六十人と、旗本御家人の次男以下からやはり武芸抜群の者たちとを合体させたのが遊撃隊」（中村彰彦『脱藩大名の戊辰戦争』）だったから、いろいろな点で極めて優秀な者たちだった。

徳川家から受けた恩に報いる為に、藩主自ら脱藩して官軍と戦った大名として有名な請西藩主林忠崇は、この遊撃隊と行動を共にし、本文に記したように、林忠崇の加わった遊撃隊は、義のために立ち上がった部隊として「上総義軍」と呼ばれ、地元では今でも好意的に見られているという。

それなのに、三千太郎はじめ大河内一門が遊撃隊に加わらず（三千太郎は後に遊撃隊に加わっている）、地元木更津での評判が悪かった撤兵隊になぜ加わったのかと不思議でならない。

三千太郎の妻、なをの実家である地曳家は木更津近郊の名主で、妻の叔父は請西藩士の家に養子に入っているというようなこともあり、林忠崇は単に領主というだけの存在ではないはずなのだが、請西藩と行動を共にした形跡がない。上総における戊辰戦争関係の資料や言い伝えのようなものの中にも忠崇と大河内一門との関係をうかがわせる資料はないようだ。

とにかく三千太郎は、函館五稜郭で旧幕府軍が降伏するまで伊庭八郎や土方歳三などと共に戦い続けている。

（二）

撤兵隊を率いた福田八郎右衛門は、慶応元年（一八六四）に、幕府が横浜に設置した「仏蘭西語学伝習所」の第一回伝習生として幕府陸軍から選抜された一人だ。

この頃はすでに、選抜に当たっては家柄ではなく、本人の能力が優先されているから、伝習生に選ばれたというだけでも相当優秀な人物だったことが分かる。翌年には、生徒取締兼伝習を命じられたり、開成所頭取になったりしているからフランス語もよほど出来、人物的にも優れていたのだと思われる。

ただ、撤兵隊を率いての戦い方をみると、一ヶ月もたたないうちに手をあげ官軍に投降してしまうなど、どこまで腹を据えて戦っていたかはちょっと疑問だ。

降伏後、東京（江戸から東京への改称は、福田が投降した慶応四年の七月）でしばらく獄にあったことは分かっているが、その後の消息は不明だ。

福田と共に撤兵隊を率いていた江原素六にしても、遊撃隊の伊庭八郎、人見勝太郎、請西藩主林忠崇、いずれも歴史に名を残している。伊庭は函館五稜郭で亡くなったが、江原や人見は戊辰戦争後静岡藩に帰藩し、江原は教育者として、人見も教育者、あるいは明治政府の役人としてそれぞれ活躍している。旧諸侯であった林忠崇は、赦免後困窮生活を余儀なくされたが、明治二十六年に甥の忠弘が男爵を叙爵したことにより華族の一員となり、昭和十六年まで長命を保ち、最後の大名として戊辰戦争当時の貴重な証言を残した。フランス語の伝習生仲間の多くも明治以後それなりの活躍を見せている。

それに対し福田は歴史から忽然と姿を消してしまうのだ。彼の知識や語学力をもってすれば明治政府に出仕することも可能だったはずだ。それを潔よしとしないのであれば、言論界で筆をとるなり実業家となるなりして在野で活躍することもできたと思うのだがとにかく表には姿をあらわさない。

彼の、戊辰戦争当時の関係者の中にはその後様々な分野で活躍をした人が大勢いるし、回想記の類を書き残している人も少なからずいるわけだから、肯定するにせよ否定するにせよ、彼のことについて触れている人があってもよさそうだが寡聞にして知らない。一緒に戦った江原ですらその後の福田については何も語っていないのだ。

早くに亡くなっていたということも考えられるが、そうだとしてもどこかで誰かが彼について語っていてもおかしくはないと思うのだがほとんど伝わってない。

目を通した中では、宮本栄一郎『幕末郷土史上総義軍』（昭和三十年）に、三千太郎の実家近くにある八雲神社の杉山という人から聞いた話として

> あの人は若い時は加藤曇龍と名乗る剣士で修業の途次、木更津へも来たことがあり、島屋一門とは旧知であった。後に養子にでも入って福田となったのではないか。小石川の浄信寺にその墓があるのを見た

とあったぐらいである。ただ、これも杉山という人物が伝え聞いた話を語っているだけで、その内容はいろいろなことが混じりあったもので事実とは思えない。例えば、「加藤曇龍」とは不二心流開祖の中村一心斎の別名であり、「浄信寺」なども、戊辰戦争で、請西藩主林忠崇軍に加わって官軍と戦い、次男虎雄とともに戦死した飯野藩士森要蔵（千葉周作に師事し、玄武館道場の四天王の一人と称された有名な剣客）の墓がある寺だから、こういうことが入り混じって伝わっている話だろう。

『幕末郷土史上総義軍』は土地の古老への聞き取りなどで収集した資料をもとにした著作ではあるが、著者のあとがきに「小説でも史書でもなく、いってみればうずもれた史実をみつけて歩いたものである。泥にまみれたままの一かけらの土器のよせあつめ」とあるとおりのものだから、精査して扱わないとおかしなことになると思うのだが、この本に書かれたことをそのまま史実として扱っているものがよくある。

㈢　中村彰彦によれば、殿様から累代恩をこうむっていた藩士ですら、義よりも現実を見据えて、逃亡したり仮病を使ったりして忠崇とともに出陣しなかった者が数十人もいたという。

㈣　新選組の土方歳三も意地で戦い抜いた男だ。彼は武州日野の農家に生まれ、幕臣に取り立てられたのは慶応三年（一八六七）のことだから代々徳川家の恩顧を受けていたというわけではないが、自分が戦う理由を、幕府の西洋医学所頭取で旧幕府軍に参加した松本良順に仙台で会ったとき「三百年来士を養うの幕府、一蹶《いっけつ》倒れんとするにあたり、一人のこれを腕力に訴え死する者なきを恥ずればなり。到底勝算の必ず期すべきあるにあらず」と語ったということが良順の自伝『蘭疇《らんちゅう》自伝』（東洋文庫）に出てくる。

三百年の恩顧を被った者の中から戦おうとするものが一人も出ないことは恥だから、勝敗など度外視して自分は戦うのだと言っているわけで、伊庭たちや忠崇と同じだ。

㈤　三千太郎の墓は旭川にあり、後妻ミヤ（戸籍名は「み登」）の名も墓に刻まれているが、なぜか、最初の妻である「なを」の名前は刻まれていない。「なを」の墓は、木更津駅の西口から歩いてすぐのところにある瑠璃光山愛染院（真言宗）に、三千太郎の父親と、母親と思われる女性の墓と並んで建てられている。

　三千太郎は亡くなるまで木更津に足を踏み入れた形跡がないが、これなども「なを」の死と関係があるのかもしれない。

㊷三千太郎の墓

3　撃剣会と天覧試合

　函館戦争は明治二年（一八六九）五月十八日に終結し、三千太郎は他の降伏人とともに弘前の寺に移送されるが、明治三年（一八七〇）四月までには釈放されたようだ。[註(一)]

　その後三千太郎は郷里に戻らず上京する。（生涯、郷里である木更津に戻った気配がない）東京でどうやって生計を立てていたか分からないが警視庁に奉職していたこともあるのではないかと考えている。というのは、三千太郎のように実戦を経験し剣技に優れた者の中には、例えば新選組隊士で沖田総司や永倉新八等と共にその強さを謳われた斎藤一のように警視庁に勤める者が少なからずいたからだ。[註(二)]

三千太郎が警視庁に奉職していたのではと考える根拠が全くないわけではない。明治時代、警視庁の三郎三傑[註三]の一人として知られた高橋赳《きゅう》太郎《たろう》範士が、試合をしたことのある警視庁の武術世話掛や助教の名前を書き記した明治二十年頃の英名録の中に、大河内三與三郎（石川島署）という名前が出てくるのだ。[註四]この三與三郎が三千太郎である可能性が高いと思っている。

それはさておき、彼が榊原鍵吉の道場で再び稽古していたのは確かで、それは榊原の始めた撃剣会に出場していることからも分かる。榊原が困窮していた剣士救済を目的に撃剣会を始めたのは明治六年四月のことだが、このときの番付表に三千太郎のことではないかと思われる大河内善治という名前が出ている。[註五]

また、明治十四年十月に山梨県で行われた撃剣会では鍵吉の門下生、木村敷秀とともに行司（審判）を務めている（名前が番付表に出ている）が、これによっても彼が榊原門下の実力者だったことが分かる。剣の実力者でなければ撃剣会の行司は務まらないからだ。[註六]

三千太郎がよほどの遣い手であったことは天覧の演武や試合に二度出ていることからもうかがえる。一度目は明治十二年（一八七九）八月二十五日のことだ。

これについて少し説明を加える。米国南北戦争北軍の将軍で第十八代アメリカ合衆国大統領ユリシーズ・グラントは、大統領を退いた後、世界周遊旅行に出かけその途次日本に立ち寄る。このとき、東京府が主催する、グラントを歓迎する武術大会が上野公園で開催された。この武術大会に明治天皇が臨幸したのだ。天覧武術大会である。

この武術大会に三千太郎は出場している。[註㈦]　これには明治十四年山梨で行われた撃剣会で三千太郎とともに行司を務めた木村も出場しているが、この人は大正七年に範士になっているくらいの人だから相当な腕前の人といってよい。そもそも天覧の演武や試合というものはこういうレベルの人が出るものなのだ。

二度目は明治二十一年一月十五日に芝公園内の弥生社で行われた天覧試合だ。十二組の試合が行われ、九組目に出場した三千太郎は竹中斧太郎という者と対戦し勝っている。[註㈧]

先生の最初の師である大河内三千太郎という人物はこういう輝かしい剣歴のある人だったのだ。

【註】

㈠　菊地明・伊東成郎編『戊辰戦争全史』下巻（平成十年）

ちなみに『戊辰戦争全史』には「戊辰戦争参加義士人名録」があり、弘前の関昌寺に移送された者の中に三千太郎の名前が出てくるが、この寺が弘前の何処にあった寺なのかが分からず、弘前市立図書館で調べてもらったところ「貞昌寺」であることが分かった。関昌寺とあるのは間違いと思われる。

この寺は、弘前市新寺町にある室町時代末期に創建された浄土宗の寺で、弘前藩三代藩主の母（石田三成の三女）などが葬られており、弘前藩からの庇護を代々受けてきた格式ある寺だそうだ。

㈡　古賀茂作・鈴木亨編『新撰組全隊士録』（平成十五年）によると、斎藤一は維新後藤田五郎と名乗り明治十年警視庁の前身である警視局に出仕。明治二十四年まで勤めた。その間、西南戦争にも出征している。

㈢　警視庁の三郎三傑とは、明治中期に警視庁撃剣世話掛を務めた、高橋赳太郎、高野佐三郎、川崎善三郎のことである。

㈣　凌霜剣友会編『剣道範士高橋先生八十年史』（昭和十五年）にある。

㈤　石垣安造『撃剱会始末』（平成十二年）の口絵に「撃剱会番付」が六枚出ているが、この中の、明治六年（一八七三）浅草左衛門河岸で行われた最初の撃剣会の番付と、出場者の名前が記された扇面に大河内善治の名前を見て取ることができる。

㈥　この撃剣会については、石垣安造『撃剱会始末』（平成十二年）に出ている。また、木村については、村上晋編『大正武道家名鑑』（大正十年）に

木村敷秀―旧金沢藩。幼名鉄太郎。安政二年正月十五日金沢市に生る。幼時同藩藤岡勇之助に従ひ水野心法一伝流の剣道を学び技倆衆に越ふるの故を以て明治元年免許皆伝。同二年藩の雄飛館剣道教師となり明治八年辞職。同十年七月東京に出で警視庁に入り警部補に任じ、新選旅団小隊長を命ぜらる。同年十二月榊原鍵吉の門に入り直心影流の剣法を修む。同十三年学習院大教授拝命。爾来警視庁、高等師範学校、東京大学、等の嘱託となり専心斯道の発展に勉め以て今日に至る。明治四十一年五月教士に進み大正七年九月範士の称号を授けらる。

とあり、一流の剣道家であったことが分かる。同時にこういう人物と共に行司を務めたのだから大河内三千太郎も同様の剣道家とみていい。

ところで、三千太郎は、明治三十二年（一八九九）九月に子爵渡辺昇（神道無念流斉藤弥九郎の練兵館で桂小五郎に次いで塾頭を務めた）が、大日本武徳会（明治二十八年発足。現在でいえば全日本剣道連盟のような組織）の会員募集で全国を遊説途次、旭川を訪れた際に会員になったというから、剣道でも鎖鎌でも範士になっていてもいいはずなのだが授けられていないのは、会員ではあっても武徳会とは距離を置いていたのだろう。

称号を授けられるためには武徳会が主催する演武会（京都で行われた）に出場し、その技量や実績を

認められる必要があるが、三千太郎が演武会に出た形跡はない。称号などには何の関心も持っていなかったのだろう。

ちなみに、渡辺の会員募集の遊説に随行していた堀田捨次郎（渡辺の弟子で後警視庁武道師範・範士）はこのときのことを書き残しており、それに次のようにある。

> 九月二十七日　午前十一時に上川に車で行った。演武場は御用林事務所の庭園で、園内には天幕を張り、日章旗を交叉して非常な景気である。演武者は百名以上、参観者は数千名に達し、坐するに処なく、広闊なる原野に直立して参観するのでありました。試合も稽古も互に汗を流して我劣らじと争うた、実に盛会であった。この日は中央橋と美瑛橋の開通式があって、各町各戸に国旗を翻し人手も実に多数であったから、会場も想像以上の混雑と賑やかさであった。演武終り、其混雑の町内を車で走って宿に帰った。時に午後五時過ぎであった。
>
> 旭川知名の剣客は大河内三千太郎氏。

これは、堀田捨次郎『剣道極意』大正七年の中に「附録全国武者修行記」にある（引用は昭和六十年の復刻版より）。

堀田のこの著書には明治時代の剣道修行の様子が克明に述べられ、実に興味深く、また資料としても大変貴重なものだと思う。簡単に手に入らない一冊だが国会図書館のデジタルコレクションにある。浜松市の場合は中央図書館か城北図書館に行かなければ閲覧できないので面倒だが手間暇かけても読むに値する一冊だ。

渡辺が旭川を訪れていたことは『剣道日本』平成十二年十月号の「剣道紀行」や今井の『蚊遣り』によって知った。渡辺の全国遊説の様子は前記の本に詳しい。

㈦

玉林晴朗『伝記聚芳』(昭和十七年)に出場した三十人の名前が出ている。出場者について触れる中に「「木村舗秀は加賀の人で後には鍵吉に従って学習院、帝大等の剣道師範となった人であり、大河内三千太郎は鎌の遣い手であった」とある。

この演武会より前のことだが、渋沢栄一が私邸にグラントを招いて午餐会を催したとき、余興として柔術と榊原門下の剣術を見せるということがあった。

このときのことを、渋沢の娘が回想して「榊原鍵吉社中の撃剣、磯又右衛門社中の柔術各数番、外に女流武芸者の長刀の型、木太刀と長刀の仕合などもありましたが、其うちことにめづらしくて私共に興味の有ったのは、木太刀と鎖鎌の仕合でありました」と書いている。（「グラント将軍歓迎の思い出」『渋沢栄一伝記資料』第二十五巻）「鎖鎌の仕合」をしたのは三千太郎だろう。

(八) 今井勝人『蚊遣り北の剣士大河内三千太郎及び旭川ゆかりの先人たちについて』（平成二十三年）及び玉林晴朗『伝記聚芳』（昭和十七年）

4 鎖鎌の名人

三千太郎は、一流の剣の遣い手であっただけでなく鎖鎌の名人でもあった。そのことは、永峰先生が語ったり書かれたものの中に登場するだけでなく、いろいろなところに出てくる。

十一月三日は天長節で、この日看守と十津川人は剣術の試合を試みている。腕自慢の郷士たちも勝負にならなかった。中でも看守長の大河原（大河内）は鎖鎌の妙技を披露して、移民たちを驚かせた。

この一節は、明治二十二年（一八八九）大水害に襲われた奈良県十津川村の人々が、村の再建をあきらめて北海道へ移住する姿を描いたドキュメントに出てくる。[註(一)]

十津川村の人々は入植地に向かう途中、現在の三笠市にあった空知《そらち》集《しゅう》治監《ちかん》（空知は地名。集治監は刑務所のこと）で数日間休息するが、そのとき移住者の慰安を兼ねて集治監の看守と移住者（十津川からの移住者には剣の心得のある郷士が多かった）との撃剣大会が開かれたようで、この一節は移住者の日記をもとに書かれたもののようだ。

あるいは、北海道樺戸集治監の職員だった白石林武が付けていた日記に「空知看守大河内氏太刀鎌能シ」と出てくる。[註(二)]

さらに、これは何に拠るのか明示されていないので引用を少しためらうが、今井勝人が「明治三十二年九月二十八日に、前年破損した美瑛忠別両橋の補修ができて、その渡橋式が行われたが、たまたま来道中の大日本武徳会員渡辺子爵一行を迎え、撃剣会が催された。そのとき三千太郎は鎖鎌で試合に臨み喝采を博している。」と書いている。[註(三)]

先生からも「大河内先生に指導を受けたのは旭川の中学の頃だが、子供心にも先生の鎖鎌は凄いものだと思った。相手が面に打ち込んで来れば鎖でからめとり、相手が下がれば小手から面と鎖が伸びていく。鎖鎌の演武などを見ていると、引きずるように長い鎖を使っている者がいるが、あれでは実戦に使えない。大河内先生の使っていた鎖はせいぜい二尋の長さだった」という話を聞いたことがある。

何といっても内藤高治が三千太郎のことを、鎖鎌にかけては「天下無二の大先生だ[註(四)]」というほどなのだ。三千太郎が剣術だけでなく鎖鎌術の名人だったことは確かなことだろう。

【註】

(一) 川村たかし『十津川出国記』(昭和六十二年)

(二) 公益財団法人網走監獄保存会編『北海道集治監勤務日記』(平成二十四年)

(三) 今井勝人『蚊遣り北の剣士大河内三千太郎及び旭川ゆかりの先人たちについて』(平成二十三年)及び『伝記聚芳』玉林晴朗(昭和十七年)

(四) 高岡謙次編『剣聖内藤高治先生』(昭和五十五年)

5 鎖鎌術

三千太郎の鎖鎌術についてもう少し続けたい。今、ユーチューブなどで鎖鎌術の演武をいくらでも見ることができるが、見ていていつも思うことがある。それは鎖鎌という武器を実戦で使うとしたら、いったいどういう戦いの場を想定すればいいかということだ。

別な言い方をすればどういう場で使えば有効な武器なのかということだ。室内で使えないのは考えなくても分かる。室内で鎖を振り回せるわけがない。室内で使って有効な武器だというのなら、新選組が池田屋に突入し尊攘派の志士たちと戦ったときにも使ったことだろう。

赤穂浪士の吉良邸討ち入り場面は、忠臣蔵のクライマックスシーンだから映画やテレビで何度も目にするが、ああいう風に敵味方が入り乱れて戦う場面で鎖鎌が使えるわけがない。街中の乱闘でも駄目だ。そんなときに分銅がついた鎖を振り回していたら仲間を倒してしまうことになりかねないからだ。

そんなことを考えると、使われる場面として思い浮かぶのは一対一の果し合いくらいしかないが、これとてもそういう状況が起きるのは極めてまれであったはずだ。

だからといってもいいだろう。これまで鎖鎌術、あるいは鎖鎌遣いが活躍した戦いというものを寡聞にして知らない。小説の類でも読んだことがない。剣の世界であれば、小説でなくとも名人、達人とされる人物をすぐにでも、何人でも挙げることが出来るが、鎖鎌の場合はそうはいかない。鎖鎌術の名人、達人となると、小説であっても吉川英治の小説『宮本武蔵』に登場する「宍戸八重垣流」鎖鎌の達人宍戸梅軒や、立川文庫の「真田十勇士」の一人由利鎌之介が思い浮かぶくらいではないだろうか。

鎖鎌術というのは確かに武芸十八般に属するものではあるが、詰まるところは隠し武器の類であり、限られた場面でしか使えない特殊な武器ではないかと思う。だとしたら、内藤高治をはじめ多くの人から称賛された三千太郎の鎖鎌術をどう考えたらいいのだろうか。

ここからは全くの想像レベルの話になるが、三千太郎の鎖鎌術は撃剣会と関係があるのではないかと思っている。

明治六年、榊原鍵吉の始めた撃剣会は、時の東京府知事大久保一翁に興行として願い出て許可されたものだ。木戸銭を取って撃剣を見せる興行である以上、そこに客を楽しませる演出があるのは当然のことで、そこに薙刀や鎖鎌術が登場する。それだけではない。最初に行われた榊原の撃剣会には、鍵吉の弟子である二人のイギリス人や八人の女性まで登場するのである。[註㈠]

この榊原の撃剣会は大成功だった。それを見て他流派でも次々と撃剣会興行に乗り出す。榊原の撃剣会が行われた一ヶ月後には神道無念流の岡田武重が、六月には北辰一刀流の千葉東一郎（周作の子）がそれぞれ撃剣会を開催している。榊原の撃剣会開催から数ヶ月の間に二十二組の撃剣会が誕生したという。

このように撃剣会が乱立するようになると、ほかの団体との差別化を図るために、人気取りというか人寄せのための見世物的な要素が次第に増してくる。打突後の大げさな引き上げなども盛んに行われるようになったといわれる。[註㈡]

そういう流れの中で、槍術や薙刀術、鎖鎌術などは、最初、タンポ槍、木製の薙刀、鎖鎌対木太刀との形演武だったものが、もっと迫真の演武となるように真剣を用いるようになり、さらには形演武ではなく、客受けするように槍、薙刀、鎖鎌対剣術といった異種試合が行われるようになっていったのではないかと思う。[註㈢]

もちろんそれ以前から、どの流派であっても現代剣道のようにルールのあることを前提にした稽古をしているわけではないので、どういう戦いの場になっても対応できるように、剣術だけでなく、槍も薙刀も柔術もそして鎖鎌術なども稽古していたはずだ。当時の剣術というのは、現代でいえば総合格闘技みたいなものだったろう。

北辰一刀流、神道無念流、鏡新明智流、それから直心影流や心形刀流といったメジャーな流派は剣術の稽古に重きが置かれていたと思うが、それでも異種に対する研究や剣術以外の武術の稽古も相当していたはずだ[註㈣]。

ましてや不二心流のような、地方のどちらかといえばマイナーな流派（ただし開祖中村一心斎は知る人ぞ知る名人）は剣術以外の武術を稽古する時間も多かったのではないかと思う。

そういう中で鎖鎌術を、それは形稽古による鎖鎌術だろうと思うが、身につけていた三千太郎は、撃剣会に鎖鎌術の遣い手として演武することや剣術と異種試合することが多くなっていったのではないだろうか。

そしてそういう経験を積んでいく中で、永峰先生が語ってくれた「先生の鎖鎌は凄いものだと思った。相手が面に打ち込んで来れば鎖でからめとり、相手が下がれば小手から面と鎖が伸びていく」技術が磨かれていき、内藤高治から「天下無二の大先生」と称賛されるまでの、鎖鎌術における達人になっていったのではないだろうか。

【註】

㈠　石垣安造『撃剱会始末』（平成十二年）

女性を出場させたのは客寄せ目的であったことは間違いないが、そういうこととは関係なく、女性たちの中に男性と遜色ない実力者がいたことも確かで、一例を挙げれば薙刀の園部秀雄という女性だ。撃剣会が行われていた時代ではないが、武徳殿ではたびたび男性と試合をして勝ちをおさめている。

高野茂義範士といえば上段の名手として一世を風靡した人だが、園部と立ち合って散々な目に遭ったという話を書いている。

> 園部秀雄という男のような名前だが、私より年上の女性で、薙刀の名人がいた。武徳会の初めの頃は彼女に敵するものは全くなく、大の男がみな文字通り薙ぎたおされたものである。私も三十三、四歳の頃であったと思うが、武徳会で一度組み合わせになり、手合わせをした。女性のこと故、大したことあるまいと実はタカをくくったのが悪かったが、薙刀に対する工夫もせずに無雑作に立合ったところ、その出鼻をいやというほどたたかれた。（中略）あまり出るもの出るものが綺麗にやられるので、その時、枢密顧問官をしておられた渡辺昇子爵が新工夫の長い竹刀を持ち出して、園部さんに立ち向かったが、これまた脛が黒くなるほど叩かれて「参った」ともいえず苦笑して引下がったのを覚えている。内藤高治先生がこれを見て笑われたが、今度は夫子自身が出番になり、一同、先生がいかにも自信あり気なのを見て、固唾をのんで見物したのだが、われわれの時よりもむしろ余程ひどく打たれていた『新版　剣道一路』（昭和六十年）。

坂本龍馬のいいなずけだったともいわれる千葉佐那なども剣や薙刀に優れていたことで知られている。龍馬が姉に宛てた手紙の中で「此人ハおさなというなり。本ハ乙女といゝしなり。今年廿六歳ニなり候。馬によくのり、剣も余程手づよく、長刀も出来」力は並の男より強かったと書いている。

佐那の腕前のことは新聞記事になったことがある。その記事を切り抜いてとっておいたのだが見つからないので正確を期せないが、幕末の頃の宇和島藩主の日記の中に、息子が佐那に剣術で打ち負かされたという記述があるというような記事だったと覚えている。

異種試合については、榊原鍵吉と高橋泥舟が十四代将軍家茂の前で剣と槍との試合をしたという話もよく知られているが、江戸時代に頻繁に異種試合が行われているわけではないようだ。

しかし、明治になると剣術の試合だけでなく、異種試合も上覧の機会が増えるし、京都の武徳殿では毎年のように異種試合が行われている。試合をすること、見せることへの抵抗感が随分なくなってきたように感ずるが、これなども明治の初め頃から撃剣会が頻繁に催されていたことと関係があるような気がする。

(二)　庄子宗光『改訂新版剣道百年』（昭和五十一年）

(三)　中山博道が、相打ちの判定の難しさについて触れた中に

最も難しい相討ちの場合は、異種の勝負である。即ち竹刀を中心として、これに鎌、小太刀、長刀、棒、杖、二刀、手裏剣、槍等が対抗した場合であり、昔時は京都大会を初め各地に於いて可成り行われたものである。

などとあるのを見ると、明治時代だけでなく、大正時代になっても異種試合というのは相当行われていたようだ。これは、堂本昭彦編『中山博道剣道口述集』（昭和六十三年）に出ている。

(四)『中山博道剣道口述集』などを読むと中山博道が他の武術を研究していたことや異種試合をしていたことが分かる記述がしばしば出てくる。そのいくつかを次に示す。

・異種武器の極め手を研究すると、竹刀側にはとても意想外のものが数限りなくある。只竹刀で面、甲手、胴、突きの範囲でおさまって、俺は剣道の指導者なりと考えていてはとても問題ではない。今日の斬界は、異種に対しては極端に冷静で、只竹刀のみ深く掘りさげてさえ行けば良いと考えているようだが、竹刀道とするならそれも致し方ないが、武道なり剣道なりとするならば、これだけ

ではすまされないことではないだろうか。仮に万一、古武道連盟から試合を竹刀に対し申し込まれたとしたならば（有り得ることで道が拓ければ必致のことである）竹刀側でどうこれを捌き得るか甚だ見物である。と同時に、現状の知識状態では慄然たらざるを得ないことになる。

・四十五歳の時、アメリカ艦隊が横浜に入港、親善使節に対する歓迎目録中に、弓対剣道という特別組み合わせがあって、私がこの一方を引き受けた。（中略）幸い多少とも弓に就いて研究していたために、その間合と気合が解っていた。

・昔時は、いろいろな武器と勝負した。手裏剣とも対したことがあるし、また外国人相手としては、特に伊太利人とのフェンシングの試合はためになった（後略）。

その他にも、博道は対鎖鎌、二刀、長刀、棒、杖、槍などもかなり研究していたようだ。刀を用いての実戦などを考える必要がない時代の剣道家である博道でもこうした取り組みをしているのだから、江戸時代であれば剣術家が様々な武術を学ぶことは当然のことだったろう。

6　空知集治監看守

明治になると北海道各地に集治監《しゅうちかん》が設置される。集治監というのは刑務所のことだ。もっとも早く設置されたのが樺戸集治監（月形町）で明治十四年（一八八一）。その翌年に空知集治監（三笠市）が設置されている。

三千太郎は明治二十二年一月北海道に再び渡り、この空知集治監に看守として赴任している。赴任するにあたっては二年くらい前から初代空知集治監典獄《てんごく》（刑務所の所長）である渡辺惟精《これあき》に対

していろいろと相談していたようだ。[註一]

北海道に集治監を設置した目的は大きく二つあって、一つは政治犯や重罪人の隔離（北海道は東京から遠く離れた土地だから隔離するのに適している）であり、もう一つは囚人を北海道の初期インフラ整備に使うためだ。

囚人を使えば苛酷な作業を強いることができるから工期が短縮でき、かつ、囚人の賃銭は安いから工事費の大幅な削減ができるのだ。どれくらい削減できたかというと一般に請け負わせるのに比べると十分の一の費用で済んだといわれる。

現在永山の辺りには国道三十九号線が通っているが、この道なども囚人たちによって開かれている。ここだけではなく、旭川から網走までの道路のほとんどが囚人たちを使って開削されていることや、その作業が苛酷極まりないものだったことからこれらは囚人道路とも呼ばれたという。

囚人たちは逃亡を防ぐための足に鉄丸を付けられ、さらに二人一組で鎖に繋がれた状態で働かされていた。逃亡すれば捕まり次第切り殺された。

それだけでなく満足な食事も与えられない中での重労働だから、とにかくたくさんの死者が出ている。

これらの死者は鎖を付けられたままで道の傍らに葬られ、今でも鎖を付けた人骨が見つかることがあるという。そんな埋葬場所は鎖塚と呼ばれたという。[註二]

この囚人たちの中には自由民権運動などで逮捕された政治犯も多くいて、空知集治監には静岡事件[註三]

で逮捕された湊省太郎、宮本鏡太郎、清水高忠、広瀬重雄らが入獄している。[註(四)]

その頃を振り返った三千太郎の談話が残っている。[註(五)]（　）内は筆者が補った箇所。

　私の上川に参りましたのは（明治）二拾三年四月で空知集治監奉職中であります、忠別太（旭川）から伊香牛（當麻町）までの道路は開鑿と永山屯田本部、官舎、授業場等の建築のため囚徒二百七拾名を連れまして永山の本部の後ろの方へ囚徒小屋を作りて居りました（後略）

これを見てわかるとおり永山兵村は三千太郎が率いた囚人達によって作られたものである。作業に当たっては看守たちが中心となって苛酷な労働を強いたはずだ。その看守の一人だった三千太郎がそうした看守の仕事をどう考えていたのか分からないが、勤めて二年目には退職しているところをみると、今井が『蚊遣り』の中で

　彼は囚人を引率してきたわけだが、空知集治監の囚人は主に政治犯であったといわれ、過酷な労働を強いられた囚人は時折看守の隙をついて逃亡をはかっている。看守である以上三千太郎もまた、探索に出かけ、抵抗すれば時には切らなければならない場面に遭遇したかも知れないのである。三千太郎にとって、そういうことは馴染まなかったのではなかろうか。

と書いているようなことは十分考えられると思う。

しかし、三千太郎が早期に退職したのはそうした理由だけではないのかもしれない。三千太郎が東京でどんな暮らしをしていたのか分からないが、看守の仕事が東京での暮らしをやめてまでも就きたい仕事と考えていたとは思えないからだ。

つまり看守を希望してというよりも、旧幕府軍の一員として北海道で戦った体験を通じて、北海道が可能性を秘めた土地であることを強く感じていた三千太郎はどんなかたちであれ、とにかく北海道に渡りたいと思っていたのではないという気がするのだ。

北海道で取り組むべきことを明確に描いていたとまでは思わないが、北海道に渡ることができればきっとチャンスがあると思っていたのではないだろうか。だとすれば、そのことの方が看守をやめる主な理由だったのかもしれない。

【註】

㈠『蚊遣り』に拠る。『旭川剣道史』の追加資料「大河内三千太郎」にある年表には明治十五年「北海道空知郡市来知村の空知集治監設置（初代典獄渡辺惟精）に伴い撃剣教授となる」とある。

これは『上川便覧』（明治三十五年）に「五稜郭に転戦し榎本等の降伏するや君又捕へられて謹慎中にあり後明治十五年赦されて空知集治監の撃剣教授となり」とあるのを踏まえているものと思われるが、三千太郎が明治十年代前半に東京にいたことははっきりしているし、明治十九年二月三日に東京で渡辺惟精に会っていることは渡辺の日記（長谷川嗣編『空知集治監初代典獄　渡辺惟精の日記』）に「大河内三千太郎来ル」と出てくるので明治二十二年赴任と判断した。

また、同年日記の三月四日の欄に「小原典獄より大河内三千太郎一問合書来ル」とあり、問い合わせがあったのか問い合わせ結果が来たのかよく分からないが、問い合わせ結果だとすれば、以前警視庁に奉職していた可能性について触れたが、三千太郎は明治十九年当時どこかで看守をしていたのかもしれない。

就職依頼をした渡辺惟精と三千太郎との関係もよく分からないのだが、渡辺のもとを訪れたりしばしば手紙を出していた（『渡辺惟精の日記』）ことからすれば相知る間柄であったことは間違いないだろう。長谷川嗣によれば、渡辺は弘化二年（一八四五）に農家の二男として美濃国安八郡大藪村（安八郡輪之内町）に生まれている。何歳くらいからなのかは分からないが薩摩藩大阪屋敷に奉公していたという。その働きぶりを高く評価され、明治維新後薩摩藩士に取り立てられたとされるが、さらにその後、大久保利通の知遇を得て、警視庁大警部、西南戦争後には鹿児島県警察署長、東京集治監初代典獄、空知集治監初代典獄というように異例の昇進をしていくからよほど官吏として使える人だったのだろう。

こういう経歴の人物と人と知り合う機会があったとすれば渡辺が警視庁にいた頃しかなさそうだが、もう一つの考えられることは、三千太郎の弟と思われる伊藤常盤之助という人物が明治十五年から空知集治監で看守を務めているから、この弟を通してということもあるかもしれない。

(二) 小池喜孝『鎖塚自由民権と囚人労働の記録』岩波現代文庫

(三) 静岡事件　自由民権運動最後の激化事件。岳南自由党の鈴木音高・湊省太郎、遠陽自由党の中野二郎三郎ら主として静岡の急進派民権派が、箱根離宮落成式を機に要人暗殺・政府転覆を企図した。しかし未然に発覚。一八八六（明治十九）六月、東京・静岡・愛知・岐阜の各県で百人以上が一斉に検挙され、二十六名が東京重罪裁判所に起訴された。本計画は、加波山事件・飯田事件・名古屋事件などで武装蜂起計画が挫折し、追い詰められたなかで練られた急進派最後の行動計画と考えられている。軍資金獲得のため県内各地で強盗を働いたこともあって常事犯の強盗罪として処断され、二十五名が十五年〜十二年の有期徒刑および重懲役に処せられた（小学館『日本歴史大事典』）。

㈣　湊は空知集治監から明治二十四年に釧路集治監に移され、明治二十九年に獄中死している（静岡県民百年実行委員会編『ドキュメント静岡県の民権』（昭和五十九年））。

㈤　鈴木規矩男『上川発達史』（明治三十六年）

おわりに

先生に稽古をつけていただいたのはもう五十年以上も前のことである。先生との稽古は、毎回、体力、気力の限界まで追い込まれてしまう、とにかく厳しいとしかいいようのない稽古であった。

しかし、その厳しさは、しごきの様な理不尽なものではなく、一人一人の技量や体力を見極めた上での厳しさであり、若者を育てようとする教育者、剣道家としての愛情に満ちた厳しさだった。

だからこそ、稽古を終えたとき息も絶え絶えで何も考えられないような状態ではあったが、力を出し切った満足感のようなものをどこかで感じていたのだと思う。

高校生の頃にそんな稽古を何度もつけていただいたこと

が、今も、自分の支えのひとつになっている。

そんな先生への感謝の思いを込めて執筆に取り組んで一年余り。なんとか上梓にまでたどり着くことができたのは、ひとえにご協力をいただいた多くの方々のおかげである。感謝申し上げたい。また、羽衣出版の松原正明社長には格別のご配慮をいただいたことを心よりお礼申し上げる。

題字は、大学時代からの友人で書家の幣原敦男君にお願いをした。記して感謝の意を表する。

令和二年九月

松本　茂

主な参考文献

庄子宗光『改訂新版剣道百年』（昭和五十一年）

全剣連三十年記念史編集委員会編『三十年史』（昭和五十七年）

財団法人全日本剣道連盟『創立二十周年記念現代剣道百家箴』（昭和四十七年）

全日本撓競技連盟『撓競技規定の解説と基本』（昭和二十六年）

平岡勇三編『昭和十二年武道範士教士錬士名鑑』（昭和十二年）

中村民雄編『資料　近代剣道史』（昭和六十年）

中村民雄編『剣道事典―技術と文化の歴史―』（平成六年）

静岡県剣道連盟『創立五十周年記念誌』（平成十四年）

静岡県剣道連盟『平成剣士名鑑』（平成十四年）

静岡県剣道連盟『高段者名簿』（昭和三十五年）

浜松剣道連盟『浜松剣道史』（平成十八年）

小本政吉編『静岡県武道家（剣道／居合道）名鑑』（昭和四十一年）

加戸宏平編『全日本武鑑』（昭和五十三年）

福井高三『私の見たヤマハ（日楽）剣道部の歴史』

河合多三『私の剣道と人生』（平成七年）

河合多三『天竜河畔の八十年』（平成四年）
武道専門学校剣道同窓会編『大日本武徳会武道専門学校史』（昭和五十九年）
大日本武徳会武道専門学校『大日本武徳会武道専門学校一覧』（昭和二年）
大日本雄弁会講談社『昭和天覧試合』（昭和五年）
凌霜剣友会編『剣道範士高橋先生八十年史』（昭和十五年）
碧水会編『碧水先生』（昭和三十六年）
堀田祐弘（捨次郎）『剣道の極意』（大正七年）
高岡謙次編『剣聖内藤高治先生』（昭和五十五年）
斎村達雄編『斎村五郎の遺稿と想い出』（昭和四十七年）
早瀬利之『気の剣　斎村五郎伝』（平成九年）
警視庁警務部教養班編『警視庁武道九十年史』（昭和四十年）
「剣道時代」編集部『私の剣道修行第一巻』（昭和六十年）
小杉英司『野間道場記』（昭和三年）
原園光憲『野間道場物語』（昭和六十年）
高野茂義『剣道一路』（昭和六十年）
堂本昭彦『中山博道有信館』（平成五年）
堂本昭彦『剣道修行修道学院の青春』（昭和六十年）

堂本昭彦編『中山博道剣道口述集』（昭和六十三年）
堂本昭彦編『高野佐三郎剣道遺稿集』（平成元年）
堂本昭彦編『羽賀準一遺稿集　附伝記・日記』（平成七年）
中村彰彦『脱藩大名の戊辰戦争―上総請西藩主・林忠崇の生涯』（平成十二年）
中村彰彦『ある幕臣の戊辰戦争―剣士伊庭八郎の生涯』（平成二十六年）
中村彰彦『幕末「遊撃隊」隊長人見勝太郎』（平成二十九年）
綿谷雪・山田忠史編『武芸流派大事典』（昭和四十四年）
玉林晴朗『伝記聚芳』（昭和十七年）
石垣安造『撃剱会始末』（平成十二年）
古賀茂作・鈴木亨編『新撰組全隊士録』（平成十五年）
東洋文庫『松本順自伝・長与専斎自伝』（昭和五十五年）
内閣印刷局編『内閣印刷局七十年史』（昭和十八年）

＊

『剣道日本』（昭和五十一年十月号）
『剣道日本』（昭和五十三年一月号）
『剣道日本』（昭和五十六年十二月号）
『剣道日本』（昭和五十九年六月号）

『剣道日本』（昭和六十一年十一月号）

『剣道日本』（平成五年五月号）

『剣道日本』（平成五年六月号）

『剣道日本』（平成十二年十月号）

『剣道日本』（平成十七年九月号）

『剣道時代』（昭和五十年三月号）

＊

旭川市『坂東幸太郎傳』（昭和五十六年三月）

北海タイムス社『シマレケッパレ　キャンパス人脈（旧制旭川中学編）』（昭和五十八年）

新得町史編さん委員会『新得町史』（平成二年）

長谷川吉次編『北海道剣道史』（昭和四十五年）

旭川剣道連盟編集委員会『旭川剣道史』（平成八年）

旭川市永山町史編集委員会編『永山町史』（昭和三十七年）

川村たかし『十津川出国記』（昭和六十二年）

今井勝人『蚊遣り　北の剣士大河内三千太郎及び旭川ゆかりの先人たちについて』（平成二十三年）

伊藤廣『屯田兵物語』（昭和五十九年）

金巻鎮雄編『北海道屯田兵絵物語』（昭和五十七年）

中村英重『北海道移住の軌跡―移住史への旅―』（平成十年）
公益財団法人網走監獄保存財団『北海道集治監勤務日記』（平成二十四年）
長谷川嗣編『空知集治監初代典獄渡辺惟精の日記』（昭和五十八年）
北海道民論社『北海道人名辞書』（大正十二年）
北海道立総合経済研究所編『北海道農業発達史上巻』（昭和三十八年）
鈴木規矩男『上川発達史』（明治三十六年）
斉藤慎太郎編『上川便覧』（明治三十五年）

*

徳島新聞社『別冊徳島県歴史人物事典』（平成六年）
須藤喜六『浜田藩雑記』（昭和五十五年）
香川県『香川県史第5巻（通史編近代Ⅰ）』（平成二年）
引田町史編さん委員会『引田町史　近・現代』（平成七年）

*

静岡県立浜松工業高等学校創立五十周年記念会『浜工のあゆみ』（昭和四十一年）
静岡県立浜松工業高等学校創立六十周年記念誌編集委員会『創立六十周年記念誌』（昭和五十一年）
静岡県立浜松工業高等学校創立七十周年記念誌編集委員会『わが校舎わが師わが友　創立七十周年記念写真集』（昭和六十年）

静岡県立浜松工業高等学校創立八十周年記念事業実行委員会『永劫の幸―技術とともに―』

静岡県立浜松北高等学校八十年史編集委員会『浜松北高等学校』（昭和四十九年）

静岡県立浜松北高等学校剣道部『創部百年記念誌』（平成十年）

浜商剣道部後援会『静岡県立浜松商業高等学校剣道部創部９０百周年記念誌』（平成七年）

浜商剣道部百周年事業実行委員会『静岡県立浜松商業高等学校剣道部創部百周年記念誌』（平成十七年）

中日新聞東海本社『浜商の群像』（平成六年）

旅順工科大学同窓会編『平和の鐘　旅順工科大学開学九十周年記念誌』（平成十二年）

百年史編纂委員会『礪波中學校砺波高等学校百年史』（平成二十一年）

中谷節三『落葉松―私の自分史―』（平成十五年）

＊

竹内洋『立身出世主義近代日本のロマンと欲望』（平成九年）

竹内洋『立志苦学出世―受験生の社会史』（平成三年）

小池喜孝『鎖塚自由民権と囚人労働の記録』岩波現代文庫（平成三十年）

静岡県民百年実行委員会編『ドキュメント静岡県の民権』（昭和五十九年）

ご協力者名簿

本書は次の方々のご協力により作成することが出来ました。
厚く御礼申し上げます。（なお、敬称は略させていただきました）

秋山秀敏、伊藤祐一、渭原高志、岩井芳文、岩本守弘、岩本司朗、大河内賀代子、岡田修二、大場幸恵、大場隆史、大石勇一、加藤広幸、金子竜二、河合宏昭、菊田信行、黒川哲司、斉藤美子、斉藤軍次、杉本浩、鈴木健、鈴木貴、鈴木秀治、鈴木正之、高井宏昭、高林健治、永田攻、中谷節三、中谷信和、永峰真、永峰時子、新田利男、林昭光、平井茂、平井宏、福井高三、藤井たまゑ、本間美子、松本勝彦、箕浦彰、宮城質子、宮本宗明、村木昌弘、森川恭典、柳川樹一郎、山内薫明、山崎道、山田政和、山本哲矢、吉林時政

浜松剣道連盟、新潟県剣道連盟、旭川市中央図書館、旭川市博物館、旭川兵村記念館、永山神社、新得町立図書館、弘前市立図書館、金沢市立玉川図書館、宇都宮市立図書館、新潟市立中央図書館、さぬき市立志度図書館、香川県立図

書館、東かがわ市立図書館、礪波同窓会（富山県立砺波高等学校同窓会）、兵庫県立洲本高等学校（旧制洲本中学）同窓会、松江市立図書館、北海道立旭川東高等学校、静岡県立浜松工業高等学校、静岡県立袋井高等学校、静岡県立浜松湖北高等学校佐久間分校、浜松市立西部中学校、浜松市立三ヶ日中学校

〈著者紹介〉

松本　茂（まつもと しげる）

昭和26年静岡県に生まれる。興誠高校において永峰晃先生の指導を受け稽古に励む。二松学舎大学文学部国文科卒業後、静岡県立高校に勤務し剣道部顧問として指導にあたる。平成24年浜松江之島高校長を最後に退職。退職後は郷土史等の研究に取り組む。平成30年「鋳物師七郎左衛門」で第21回「伊豆文学賞」小説・随筆・紀行文部門最優秀賞受賞。剣道錬士六段。

現住所　〒435-0015　浜松市東区子安町301-3

剣道範士八段 永峰晃とその時代

令和2年9月27日発行
定価 本体1,818円＋税

著　者　松本　茂

発行人　松原正明
発　行　羽衣出版
〒422-8034
静岡市駿河区高松3233
TEL 054-238-2061
FAX 054-237-9380

ISBN978-4-907118-60-0 C0021 ¥1818E